ツバキ文具店

山茶文具店

[日] 小川糸 —— 著　王蕴洁 —— 译

湖南文艺出版社 HUNAN LITERATURE AND ART PUBLISHING HOUSE 博集天卷 CS-BOOKY

好 好 读 书

镰仓导览图
北镰仓站
豆皮寿司
光泉
松花堂
进贡羊羹
净智寺
建长寺
天园健行步道
鎌仓宫
山茶文具店
十二所神社
太刀洗水
镰仓五名水
二阶堂川
鹤冈八幡宫
大祓注连绳
Berg Feld
Bergfeld
田乐辻子之路
JR横须贺线
布丁
和风肉沫咖喱
寿福寺
OXYMORON
露西亚亭
宝戒寺
caraway
时令菜肴
味噌汤米饭
sahan
烤牛肉
小芋咖喱
荞麦面
冰清酒
萩原精肉店
镰仓站
福屋
花园
PARADISE ALLEY
镰仓市农协联合会零售站
谷麦套餐
GARDEN HOUSE
鸟一
红豆面包
江之岛电铁
鹤屋
由比若宫
（元八幡）
和田塚
材木座落语会
光明寺
Woof Curry
由比之滨
滑川
长谷
由比之滨
材木座
极乐寺
稻村崎
稻村崎温泉
drawing by shunshun

夏

我住在位于丘陵山麓的一座独幢小房子里，地址属于神奈川县镰仓市。虽说在镰仓，但我住在靠山的那一带，离海边很远。

以前我和上代一起住在这里，但上代在三年前去世，如今我独自住在这幢老旧的日式家屋中。因为随时可以感受左邻右舍的动静，所以并不觉得特别孤单。虽然入夜之后，这一带就像鬼城，笼罩在一片寂静中，但天一亮，空气便开始流动，到处传来人们说话的声音。

换好衣服、洗完脸后，在水壶里装水、放在炉上煮滚，是每天早晨必做的事。趁着烧开水时，拿起扫把扫地、擦地，把厨房、缘廊、客厅和楼梯依次打扫干净。

打扫到一半时，水煮开了，于是暂停打扫，把大量开水冲进装有茶叶的茶壶中。在等待茶叶泡开的这段时间，再度拿起抹布擦地。

直到把衣服丢进洗衣机后，才终于能坐在厨房的椅子上，喝上一杯热茶。茶杯里飘出焙炒过的茶叶的香气。我直到最近才开始觉得京番茶好喝，虽然小时候难以理解上代为什么要特地煮这种枯叶来喝，但现在，即使是盛夏季节，清晨要是不喝一杯热茶，身体就无法苏醒。

当我怔怔地喝着京番茶时，邻居家楼梯口的小窗户缓缓打开了。那是住在左侧的邻居芭芭拉夫人。虽然她的外表百分之百是日本人，但不知道为什么，大家都这么叫她，也许她以前曾经在国外生活。

"波波，早安。"

她轻快的声音好像乘着风冲浪似的。

"早安。"

我也模仿芭芭拉夫人，用比平时稍微高一点的声音说话。

"今天又是个好天气，等一下有空来我家喝茶，我收到了长崎的蜂蜜蛋糕。"

“谢谢。芭芭拉夫人，祝你也有美好的一天。”

每天早晨，我们都会隔着一楼和二楼的窗户打招呼。我总会想到罗密欧与朱丽叶，很想暗暗偷笑。

一开始其实有点不知所措。因为竟然连邻居的咳嗽声、打电话的声音，甚至冲马桶的声音都听得一清二楚，有时候会产生错觉，还以为和邻居同住在一个屋檐下。即使没有特别注意，也会很自然地听到对方的动静。

直到最近，才终于能够镇定自若地和邻居打招呼。和芭芭拉夫人道过早安，我一天的生活终于正式开始。

我叫雨宫鸠子。

上代为我取了这个名字。

名字的来历，当然就是鹤冈八幡宫的鸽子。八幡宫本宫楼门上的“八”字，是由两只鸽子靠在一起组成的。又因为《鸽子波波》这首童谣的关系，所以从我懂事的时候开始，大家就叫我“波波”。

只不过，一大早就这么潮湿，真让人不敢恭维。镰仓的湿气超可怕。

刚出炉的法国面包很快就变得软塌塌的，而且还会发霉；原本应该很硬的昆布，在这里也完全硬不起来。

晾完衣服后，马上去倒垃圾。名为“垃圾站”的垃圾堆放处位于流经这一带中心的二阶堂川桥下。

可燃垃圾每周收两次，其他纸类、布类、宝特瓶和修剪的树枝、树叶，以及瓶瓶罐罐，每周只收一次；周六和周日不收垃圾；不可燃垃圾每个月只收一次。一开始觉得垃圾分类分得这么细，真是烦不胜烦，但现在已经能够乐在其中。

倒完垃圾，刚好是小学生背着书包，排队经过我家门口去上学的时间。小学就在离我家走路几分钟的地方，走进山茶文具店的客人，大部分都是就读于这所小学的学童。

我再度打量自己的家。

对开的老旧门板上半部镶着玻璃，左侧写着“山茶”两个字，右侧写着“文具店”。店如其名，门口的确种了一棵高大的山茶树，守护着这个家。

钉在门旁的木制门牌虽然已经发黑了，但定睛细看，仍然可以隐约看到“雨宫”二字。虽说只是信笔挥洒，但玄妙入神。不论玻璃上还是门牌上的字，都是上代写的。

雨宫家是源自江户时代、有悠久历史的代笔人。

这个职业在古代被称为“右笔”，专门为达官显贵和富商大贾代笔；靓字——写一手好字当然成为首要条件。当年，镰仓幕府里也有三位优秀的右笔。

到了江户时代，大奥中也有专为将军正室和侧室服务的女性右笔。雨宫家的第一代代笔人，就是在大奥服务的女性右笔之一。

自此之后，雨宫家传女不传男，代代皆由女性继承代笔人这份家业。上代是第十代，我继承了她的衣钵；不，实际上是当我回过神时，发现自己莫名其妙变成了第十一代代笔人。

以血缘关系来说，上代是我的外祖母，但是从小到大，她从不允许我轻松地叫她一声“阿嬷”。上代在从事代笔人业务的同时，一个人把我抚养长大。

只不过现在的代笔人和以前大不相同，举凡替客户在红包袋上署名。写雕刻在纪念碑上的文章。写有新生儿与父母名字的命名纸。招牌。公司经营理念和落款之类的文字，都成为主要的业务内容。

只要是写字的工作，上代来者不拒，不管是老人俱乐部颁发给门球冠军的奖状，还是日式餐厅的菜单，或是邻居家儿子找工作时用的履历表，她都照接不误。

虽然表面上开了一家文具店，但是说白了，其实就是和文字相关的打杂工。

最后，我为文冢换了水。

虽然外人会觉得那只是一块石头而已，但对雨宫家来说，这块石头比菩萨更重要。那是埋葬书信的地方。如今，盛开的蝴蝶花围绕在文冢周围。

早晨的工作终于告一段落。

在山茶文具店开始营业的九点半之前，是我的片刻自由时间。今天我要去芭芭拉夫人家，共度早餐后的早茶时光。

回想起来，我这半年很拼命。虽然上代去世后，大部分后事都由寿司子姨婆帮忙处理，但仍然有一些无法凭寿司子姨婆一己之力处理的麻烦事；因为当时我逃到国外，使得待处理的杂事堆积如山。我在回国后，带着仿佛刷洗烧焦锅底般的心境，缓慢而肃穆地解决了这些事。而所谓锅底的焦痕，主要是关于遗产和权利的事。

在二十多岁的我眼中，那种事根本微不足道。但上代在年幼时被雨宫家收为养女，所以有许多复杂的隐情。虽然我曾经有一股冲动，想把所有事情统统丢进垃圾桶，但想到某些大人在等着看笑话，反而在紧要关头激发我产生了一丁点儿动力。

而且，如果我真的放弃一切，这幢房子马上就会遭到拆除，变成停车场或是改建成公寓。如此一来，我最爱的山茶树也会被砍掉。

我无论如何，都希望亲手保护这棵从小就很喜爱的树。

这天下午，我被电铃声惊醒。

我似乎在不知不觉中睡着了。淅沥沥打在地面的雨声成为绝佳的催眠曲。

这几天，中午过后都会下雨。

我每天早上九点半打开山茶文具店的店门开始营业。观察客人上门情况的同时，也在后方的厨房吃午餐。因为早上只喝热茶、吃一点水果，所以会好好吃一顿午餐。

今天店里没什么客人，所以不小心在里头的沙发上睡着了。原本只打算眯一下眼睛，没想到竟然睡熟了。也许经过半年时间，已经适应了这里的生活，不再感到紧张了吧，最近经常觉得很困。

“有人在吗？”

女人的声音再度传来，我慌忙往店堂跑去。

刚才听声音时，就觉得有点熟悉，一看到脸，果然是认识的人。她是附近鱼店鱼福的老板娘。

“哎哟，波波！”

鱼福的老板娘一看到我，双眼立刻发亮。

“你什么时候回来的？”

她的声音还是那么干脆爽朗，手上拿了一大沓明信片。

“今年一月。”

鱼福的老板娘听到我的回答，立刻提着长裙的裙摆，单脚伸向另一只脚后方，用搞笑的方式弯下身子鞠了一躬。没错没错，鱼福的老板娘以前就这样。我不由得怀念地回想起这件事。

以前只要上代差遣我去买晚餐的食材，鱼福的老板娘就会把糖果、巧克力或花林糖之类的甜食塞进我嘴里。她明知道上代禁止我吃这种甜食，却仍然硬塞给我吃。小时候我经常抱着一丝幻想，觉得如果我妈妈是像她一样的人，我一定会很幸福。

但是，虽然就住在附近，为什么整整半年都没见到她？这件事让我感到有点不安。老板娘笑着对我说：

“我娘家的妈妈卧病在床，所以我前一阵子一直待在九州岛。我们刚好擦身而过，所以都没有遇见。看到你很有精神的样子，真是太高兴了！之前还经常和爸爸聊起，不知道波波最近好不好。”

鱼福老板娘口中的“爸爸”是指她的丈夫。她丈夫几年前罹患重病去世了。我之前在加拿大打工度假时，寿司子姨婆用电子邮件告诉了我这件事。

“太好了，每年都有很多客人期待收到我们的盛夏问候卡。本来还在烦恼，不知道今年该怎么办，幸好听说山茶文具店又开张营业了。我原本还不太相信，所以过来看一下，真是太高兴了！”

鱼福老板娘一边口齿清晰地说着，一边把手上那沓明信片交给了我。那是邮局发行的夏季明信片，还可以参加抽奖。

老板娘的字并不难看，就像是漂亮的羽衣轻柔地在天空飘舞着，但她每年都委托山茶文具店代笔。唯一的原因，就是彼此都是从上代开始就建立了交情。

“那就麻烦你按老样子处理。”

“没问题。”

生意就这样谈成了。

老板娘站着和我闲聊了一会儿便离开了。

无论是穿了多年的花卉图案围裙，还是及踝的白袜，或是夹住刘海儿的大发夹，一切都让我感到怀念。如今，鱼福这家店已经交给她儿子和媳妇负责，她本人则含饴弄孙享清福去了。老板娘有三个孩子，都是儿子，所以她说不定是把当时还年幼的我当成自己的女儿般疼爱。

我翻开月历，用粉红色的荧光笔在小暑和立秋的日子做了记号。在小暑前的是梅雨季问候，小暑和立秋之间才是盛夏问候，一旦过了立秋，就变成残暑问候了。我很久没有接到这么大宗的代笔工作了。

洗把脸醒脑后，我立刻开始进行准备工作。

首先拿出使用多年的鱼形印章，在明信片背面盖上鱼福专用的图案。这是很简单的作业，可以在顾店时完成。接鱼福的盛夏问候卡已经有好几年，不，已经好几十年了，虽然内容很简单，但由于数量惊人，所以不能轻忽。上代把使用多年的各种道具都分箱收藏得很好。因为是多年的老客户，即使不需要一一确认内容，也可以写出很有鱼福特色的盛夏问候卡。

问题在于正面。每一张卡片写的内容都不同，无法像背面那么简单。

空着肚子没力气握笔，在文具店打烊后，我决定先去吃晚餐。

每天的晚餐几乎都是外食，虽然伙食费的开销比较大，但我懒得自己下厨做一人份的晚餐，幸好镰仓是观光胜地，有很多餐厅，不必担心找不到东西吃。

享受完今年第一次的中式凉面，我绕路去了镰仓宫。虽然我很习惯一个人走路，但镰仓的夜路很暗；尤其靠山这一带的路灯很少，还不到晚上八点，便已伸手不见五指。

为了给自己壮胆，我走路时故意拖着木屐，发出声响。雨在傍晚就停了，但天气不太稳定，随时可能下起倾盆大雨。

如果说，鹤冈八幡宫这处神社是祭祀镰仓幕府的开创人源赖朝的，那么镰仓宫就是祭祀镰仓幕府终结者的神社。神社后方至今仍然保留着主祀护良亲王当年遭到幽禁的土牢，只要付费，就可以进里面参观。

因此，同时参拜鹤冈八幡宫和镰仓宫总让我有一丝愧疚感，但也不能偏袒某一方，所以仍一如往常地合掌祭拜。沿着阶梯往上爬，灯光照亮了本殿前方的巨大狮子头。

回到家，冲个澡洗净身体后，把平时放在壁橱角落的书信盒拿了出来，缓缓打开盖子。上代送我的这只桐木书信盒里放着自来水笔、钢笔等所有代笔工作相关的工具。

书信盒盖子表面有一只用螺钿镶嵌成的鸽子，这是上代特地向京都的工匠定做的定制品，但原本用宝石镶的鸽子眼睛已经掉了，尾巴也用胶带粘了起来。这也成为让我回想起不愉快过去的证据。

我这辈子永远不会忘记，我学会的第一句话就是“以吕波”。

我在一岁半的时候，可以准确无误地背完从“以、吕、波、耳、本、部、止”开始，到最后“无”为止的五十音习字歌。记忆中，我三岁时可以用平假名写下习字歌；四岁半已经会写所有的片假名。这是上代热心教导的结果。

我在六岁时第一次拿毛笔。上代说，多练字就可以进步，于是在六岁那一年的六月六日，我拿起有生以来第一支自己专用的毛笔。那是用我的胎毛制作的毛笔。

我至今仍然清楚记得当天的事。

吃完营养午餐，从学校一回到家，上代已准备好新袜子在家里等我。那是一双很普通的长筒袜，只有小腿旁绣了一只兔子而已。当我换上新袜子后，上代缓缓地对我说：

“鸠子，你来这里坐。”

她的表情从来不曾像那一刻般严肃。

我听从上代的指示，在矮桌上铺好垫板、放上宣纸，再用文镇压住。我模仿上代的样子，自己动手完成这一连串作业。砚台、墨条、毛笔和纸整齐地排放在面前。这四样东西被称为“文房四宝”。

我在听上代说明时，拼命克制焦急的心情。不知道是否因为兴奋的关系，我甚至不觉得腿麻。

磨墨的时间终于到了。用砚滴把水倒进砚台的墨膛。这是我梦寐以求的磨墨时间。墨条那种摸起来有点凉凉的感觉让我内心悸动不已。我一直想试试磨墨。

在此之前，上代禁止我碰触她的代笔工具。看到我拿毛笔在腋下搔痒，就会马上把我关进储藏室，有时甚至不准我吃饭。但是，她越不叫我靠近，我就越想靠近，越想亲手摸一摸。

在这些工具中，最吸引我的就是墨条。那块黑色的东西含在嘴里不知道是什么味道，一定比巧克力、比糖果更美味。我确信不疑地这么认为，而且爱死了上代磨墨时飘来的那股淡淡的、难以形容的神秘香气。

所以，对我来说，六岁那年的六月六日，是我盼望已久的书法初体验。虽然手上拿着梦寐以求的墨条，却怎么也磨不好，上代对我大发雷霆。

虽然只是在墨膛磨完墨后，再推入储墨的墨池这么简单的动作，但六岁的我怎么也做不好。斜斜地握着墨条，想磨得快一点，但上代立刻打我的手，我根本无暇把墨条含在嘴里尝味道。

这天，上代要我在宣纸上不停地写“○”。就像在写平假名的“の(no)”一样，持续不断地画圈。当上代撑住我的右手时，我可以轻松画圈，但轮到我自己写的时候，线条就变得歪七扭八，就像迷路似的；粗细也不一，时而像蚯蚓，时而像蛇，有时候甚至像鼓着肚子的鳄鱼，笔下的圆圈一点都不稳定。

笔管不要倒下，要笔直竖起来。

手肘抬高。

不要东张西望。

身体正面朝前。

注意力集中在呼吸上。

越是想要同时完成上代的所有要求，我的身体越容易倾斜，呼吸节奏紊乱，动作也变得畏首畏尾。眼前的宣纸上写满了奇形怪状的圆圈。因为一直重复相同的事，所以开始感到厌倦。毕竟我当时才读小学一年级。

所以，六岁那一年的六月六日，这个第一次练书法的日子，并没有成为一个灿烂辉煌的日子，但我为了不辜负上代的期待，之后仍然刻苦练习。

终于能够一口气把顺时针的圆圈写成相同的大小后，又开始用相同的方式练习逆时针的圆圈。

非假日时，每天吃完晚餐后，就是练书法的时间。二年级之前，每天练一小时；三四年级时，每天练一个半小时；升上五年级后，每天要练两小时。而上代也都陪着我一起练习。

练习逆时针的圆圈时，起初根本不知道写到哪里，但渐渐终于可以顺利画出大小相同、粗细均匀，形状也四平八稳的圆圈。

努力有了回报。终于，即使闭上眼睛，我也能轻松画出漂亮的圆圈。

圆圈的练习结束后，又接受了逐一练习平假名的特别训练，直到能完美写出“いろはにほへと”等所有平假名。我在练习的时候发挥了想象力：

“い”是两个好朋友一起坐在原野上，面对面开心地聊天。

“ろ”是天鹅优雅地浮在水面上。

“は”的第一笔就像飞机降落在跑道上，之后再度朝天空展翅而去，在空中表演特技。

一开始先把纸放在上代为我写的范本上照样摹写，之后再看着模板临摹，最后即使不看模板，也能够写出来。通过上代的考核后，才终于能接着写下一个平假名。

每个文字都有背景，都有发展的过程。虽然对当年还是小学生的我来说，要理解这些有点困难，但有时候，了解成为假名基础的汉字，就能够透过形状记住假名的正确写法。

当时所用的字帖是《高野切第三种》，它被认为是《古今和歌集》现存最古老的抄本。上代说，接触好字有助于进步，所以当别人在看绘本时，我每天都得翻阅这本字帖。

虽然我完全看不懂那些被认为由纪贯之所写的文字内容，但觉得那些字妖艳而美丽。我觉得那每个行云流水般的文字，就像是把正式礼服十二单衣一件一件脱下似的。

我花了大约两年时间，才终于能漂亮地写出五十音的平假名和片假名。小学三年级那年的夏天，我正式开始练习汉字。

只要遇到长假，上代的热忱就更是旺盛。我没有时间和同学一起去游泳或是吃刨冰，所以也没有结交任何能很有自信地称为“闺密”的朋友。班上的同学应该都觉得我很阴沉、不起眼、缺乏存在感吧。

我第一个练习的汉字是“永”字。接着又反复练习了“春夏秋冬”和自己的名字“雨宫鸠子”，直到可以写出漂亮的字体为止。

平假名和片假名的字数有限，但汉字无穷无尽，简直就像踏上了没有终点、永无止境的旅程。而且，除了楷书，还有行书和草书。不同书体的笔顺也各不相同，根本永远学不完。

我的小学时代几乎都在练字中度过。

回想起来，那时候的我没有任何愉快的回忆。上代对我耳提面命，说只要耽误一天，就要花三天的时间才能补回来，所以我即使去参加校外教学或修学旅行时，也都带着自来水笔，背着老师偷偷练书法。我一直相信这是天经地义的，从来不曾怀疑过。

我一边回想起陈年往事，一边端正姿势，开始磨墨。

如今，水已经不会溅到砚台外，我也不会斜拿着墨条磨墨。

虽说磨墨有助于平静心情，但我久未感受到全身意识朦胧的舒服感觉。

并不是想睡觉，而是自己的意识慢慢沉入某个深不见底的黑暗之处，只差一步，就可以达到出神的境界。

我试写了一下，确认墨色的深浅后，在明信片正面写上收件人的地址和姓名。

上代教我的书信礼仪第一课，就是要正确无误地书写收件人的名字。

上代不厌其烦地告诉我，信封是一封信的体面，所以必须写得特别仔细优美，字迹清晰。

写每一张明信片的地址时，都要稍微调整位置，让收件人的姓名能够刚好位于明信片正中央。

上代极端追求字体的优美，至死不渝，但也随时提醒自己不能自命清高、孤芳自赏。

即使写得一手靓字，如果别人完全看不懂，就无法称得上是精粹，反而会变成一种庸俗。

这句话是上代的口头禅。不论字写得再好，若心意无法传达给对方，就失去了意义。所以，她平时虽会练习草书，但实际进行代笔工作时，几乎不曾用草书写过。

简单明了最重要，以及代笔人不是书法家这两件事，是我从小就牢记在心的，所以也一直遵守上代的教诲，写信封时的笔迹特别清晰，而且使用任何邮差都能够一目了然的楷书。

而且，上代还规定，书写数字时，为了避免错误，一律统一使用阿拉伯数字。

我花了将近一个星期，完成了鱼福老板娘委托的盛夏问候卡。令人高兴的是，没有写错任何一张。

忙着张罗这些事时，六月也接近了尾声。今年的梅雨季很短，眼看着就快结束了。

六月三十日是鹤冈八幡宫每年固定举行大祓仪式的日子。

下午，我比平常稍微提早了一点走出家门，一路闲逛，往八幡宫走去。山茶文具店每周六下午、周日和国定假日都休息，所以今天可以放心外出。

我要去领新的大祓注连绳。

大祓注连绳是将注连绳两端绑起来的环状装饰，许多镰仓的人家都会把它挂在大门口，只有在每年举行两次的大祓仪式时才能换新。

六月三十日的夏越大祓时所发的大祓注连绳中央，挂着水蓝色的纸带；至于十二月三十一日的新年大祓时所发的大祓注连绳中央，挂的则是红色纸带。山茶文具店目前还挂着一年前的旧大祓注连绳。

虽然我算不上虔诚的人，但在大祓注连绳这件事上，我想规规矩矩遵守习俗。上代也一样，无论工作再怎么忙，每年两次的大祓仪式都绝不缺席。

我先去交纳了三千元的供奉费，领取了新的大祓注连绳。因为时间刚好，所以就去参加了大祓仪式。

钻过用茅草制作的巨大茅草环那瞬间，立刻明确感受到夏天的气息。天空明亮灿烂，看起来格外蔚蓝。

我暗自觉得，镰仓的一年始于夏季。两只老鹰很有威严地在茅草环另一边的高空盘旋着。

用像是写数字“8”的方式钻过茅草环三次，最后从侍奉神明的巫女手上接过神酒含在嘴里，心里的纠结便轻柔地解开了。天空看起来变得更蓝，自己也好像融入了蓝天之中。

踩着软绵绵、有些醉意的步履回家后，立刻把新的大祓注连绳挂在店门口。终于能用焕然一新的心情迎接夏天了。

因为四下无人，我小声地说了声：“新年快乐。”不知道是否听到了我说话的声音，一阵南风吹来，轻轻吹动了水蓝色的纸带。

第二天，蝉开始放声大鸣，仿佛证明夏天真的来了。

昨天还静悄悄的，月历刚翻到七月那一页，蝉就开始唧唧鸣叫，这实在太奇妙了。今年的梅雨季提早结束，名副其实的夏天正式报到了。

不过说真的，夏季是山茶文具店的淡季。不光是山茶文具店，就连来镰仓的人也不多。即使车站周围很热闹，但十之八九都是去由比之滨的海水浴场或材木座。

北镰仓的明月院虽以绣球花闻名，但一月到七月，就会把所有的花都修剪掉，所以这一带并没有什么观光景点，而且，镰仓的夏天热得要命，游客根本没心情观光。

因为店里生意冷清，所以我干脆专心在家里整理。虽然寿司子姨婆大致整理干净了，但家里仍然到处残留着上代留下的东西。

如果是值钱的东西，还可以请古董商来家里收购，但上代的遗物没有任何历史价值，大部分都是无用的废纸，甚至有的看起来像是我以前练书法的宣纸。我把这些东西全都塞进垃圾袋。就算偶尔有客人上门，只要按店门口的电铃，即使我在后头，也可以马上听到。

文具店的营业时间从上午九点半到太阳下山，转眼已是黄昏，我正打算打烊。

电铃声轻轻响起。

我跑向店堂，一位年纪看来不到七十岁、典型的镰仓女士站在那里；但我以前没见过她。

娇小的她穿着一件蓝底白色小圆点的灯笼袖洋装，手上的阳伞也是和洋装一样的圆点图案。头上戴了一顶优雅的花朵草帽，手上戴着白色蕾丝手套，全身上下看起来就像一瓶可尔必思。

“欢迎光临。”我向她打招呼。可尔必思夫人突然开口对我说：

“砂田家的权之助今天早上死了。”

看她的样子，不像是来买文具的。可能是来委托代笔的客人。在这件事上，我的直觉和上代一样敏锐。

顾名思义，山茶文具店是一家卖文具的小店，代笔业务并没有写在招牌上，但附近的邻居和以前的熟客不时会上门委托代笔。

“权之助……吗？”

我既没听过权之助，也不知道砂田家是哪一户人家。

“哎哟，你不知道吗？在这一带很有名啊！”

“不好意思。”

我有预感，这件事说来话长。于是我乘机请可尔必思夫人坐在圆椅凳上，她微微跛行了过来，轻轻坐在椅子上。

我从后头的冰箱里拿出冰麦茶，倒进杯中后，再端出来。我把麦茶放在托盘上，递到她面前。

“我之前就听说那孩子有心脏病。”

可尔必思夫人再度开口。

“大概是最近天气突然变热了，所以没有体力撑下去了。明天是守灵夜，后天就要火葬。”

“这样啊。”

虽然我还搞不清楚状况，但还是跟着附和。我并没有听说这附近有谁发生了不幸。

“我的腿不方便，虽然很想赶过去，但没办法，所以我想，至少要寄个奠仪。”

仔细一看，可尔必思夫人的左脚脚踝包着绷带，难怪刚才在店里走动时，她的脚有点跛。

“是啊。”

我乖乖地应和着。

“所以我想请你马上帮我写一封吊唁信，和奠仪一起寄过去。”

“好的。”

我怔怔地看着她的手，简短地回答。

上代曾经告诉我，当客人上门委托代笔时，不要盯着对方的脸。因为每个客人都有自己的难言之隐。从此之后，在聆听委托代笔的客人说话时，我不会看着对方的眼睛，而是看着对方的手。可尔必思夫人的手晒得很黑，没想到她手臂的肌肉饱满，骨骼也很粗大。

“一想到砂田太太不知道有多难过……”

可尔必思夫人说着，拿出手帕擦了擦脸，不知道是擦汗还是擦眼泪。她的手帕也是圆点图案。

“可不可以请您告诉我一些关于权之助的往事呢？”

听到我的发问，可尔必思夫人双手拿起麦茶的杯子，一口气喝完了。虽然已经是傍晚六点多，但温度计的刻度仍然停在三十摄氏度左右。写吊唁信之前，我希望稍微了解一下权之助。

“那孩子很聪明。”

可尔必思夫人得意地说。

“砂田家不是没有孩子吗？所以砂田太太和她老公商量之后，就把权之助带回家了，听说当初亲戚都很反对。”

“所以说，权之助是砂田夫妇的养子吗？还是寄养在他们家的孩子？”

要真是这样，好不容易建立的缘分又断了，砂田太太应该很难过。

“也许吧……”

可尔必思夫人不置可否地说着，而且语气很微妙。她拿出自己的手机操作起来。

“找到了，这就是权之助啊。”

她给我看了张有点模糊的照片，说话的语气似乎在责备我搞不清楚状况。

起初我还看不清楚照片的主题是什么，只知道那并不是人。

“是猴子吗？”

我很没自信地问。夫人点着头，啪嗒一声收起了手机。

“原来的饲主不幸辞世，所以它被送到动物之家，后来砂田太太看到了它。”

可尔必思夫人说着，从皮包里掏出一只奠仪袋放在桌上。奠仪袋上浮贴着一张便条纸，上面写有夫人的名字。

“不好意思，时间有点仓促，希望你尽可能快一点。”

“好的，没问题。”

“费用我过几天送来，请你准备好请款单。”

可尔必思夫人说完，用阳伞当成拐杖，微微歪着身子走出山茶文具店。她的脚步比来时稍微轻快了些。

我关上店门，立刻开始工作。

丧事相关的信件有很多规矩，我翻开上代留下的家传宝典，确认了相关要点。

用力做了个深呼吸后，我才开始磨墨。

写吊唁信时，磨墨的方向和平时相反，也就是要逆时针方向磨墨。

平常向来是顺时针方向磨墨，反方向磨墨很不顺手，但还是用墨条把砚台中央的水慢慢磨开，同时必须适时停止。因为写吊唁信所用的墨色不可太深。

在措辞上必须注意的是，必须避免使用“屡次”“再度”“又”“重复”等忌讳的词语。同时，因为丧家都不喜欢死亡再度降临，所以也不能写以“此外”“又及”等词开头的附言，也不需要在收件人名字左下方写上“亲展”“御中”等表达敬意的文字，更不需要结尾语。

我静静地拿起毛笔。

泪腺仿佛变成了磁铁，瞬间吸收了世界上所有的悲伤。其中也包括小时候养的金鱼翻肚死去时的哀伤，以及寿司子姨婆去世时的悲恸。

我用比平时更淡的墨写完吊唁信。

之所以要用较淡的墨，是代表因为过度悲伤，眼泪滴落砚台，而让墨色变淡的意思。在写这封信时，我的脑海中数度浮现出可尔必思夫人的面容。甚至有那么一下子，我觉得自己的手和可尔必思夫人的手一起握着毛笔。

用淡墨在白色卷纸上写完内文，再从和平时相反的方向将卷纸折起，让文字露在外侧。一般来说，正式书信都会使用双层信封，丧事所用的书信则使用单层信封，以免不幸双至。如同参加葬礼时，必须避免浓妆艳抹或佩戴花哨的首饰，信封也和信纸一样，都要使用素白色。

用淡墨在信封中央写上收件人的地址和姓名，等墨干后，再把完成的吊唁信装进信封，然后直立放在有着上代和寿司子姨婆牌位的佛坛上的特等席——这是为了避免弄脏重要的书信。信封封口并没有黏合。无论信件的内容有多"制式"，我必定会等到隔天早上才黏贴封口，以便在充足的睡眠后，能以冷静的头脑重新检视所写的内容。

上代在生前常说，妖魔鬼怪会躲藏在晚上写的信中。也许是出于这个原因，她几乎不曾在太阳下山后工作。

完成工作后，发现已经快九点了。夏蝉在白天聒噪地叫个不停，入夜后便安静下来，四周一片寂静，简直就像身处深山秘境，

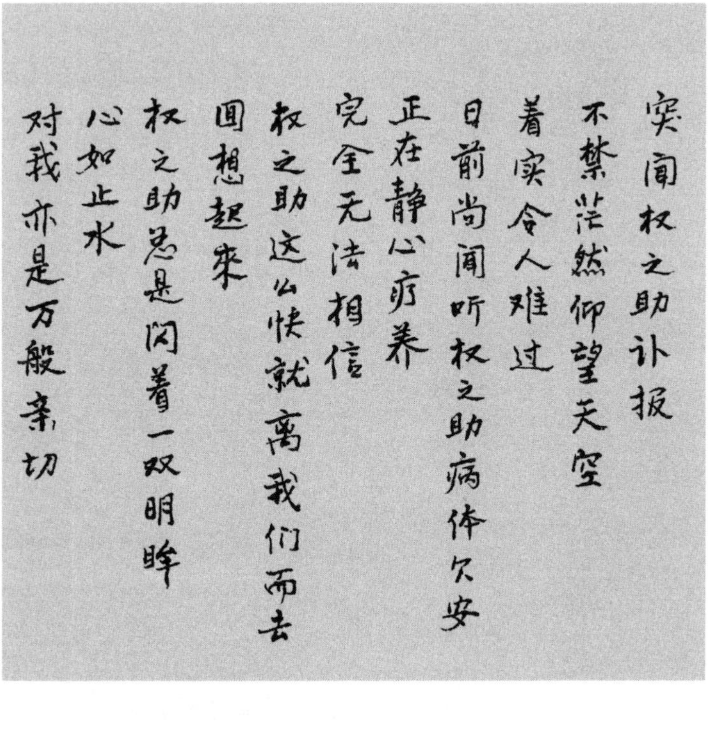

突闻权之助讣报
不禁茫然仰望天空
着实令人难过
目前尚闻听权之助病体欠安
正在静心疗养
完全无法相信
权之助这么快就离我们而去
回想起来
权之助总是闪着一双明眸
心如止水
对我亦是万般亲切

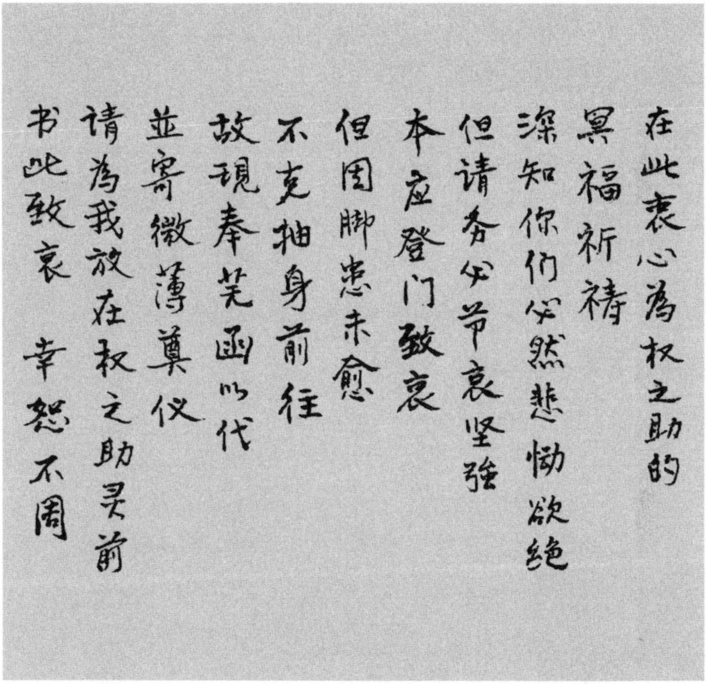
在此衷心為权之助的
冥福祈祷
深知你们必然悲恸欲绝
但请务必节哀坚强
本应登门致哀
但因脚患未愈
不克抽身前往
故現奉笺函以代
並寄微薄奠仪
请為我放在权之助灵前
书此致哀 幸恕不周

只不过仍然闷热不已。

我拿着皮夹，想外出随便找点东西填饱肚子。镰仓的商店一早就开门，但也很早就打烊，幸好还有几家餐厅营业到深夜。不知道是否因为专心写吊唁信的关系，总觉得如果不喝点酒的话，脑袋这么清醒，晚上会难以入睡。

我走进车站附近的葡萄酒酒吧，用颜色很漂亮的粉红葡萄酒为自己干杯庆功。在为权之助的冥福祈祷的同时，吃着加有白凤豆和开心果的法式肉酱。这是我第一次写吊唁信，不知道是否因为顺利完成工作而松了一口气，比平时更快便有了醉意。我在十点半离开了酒吧，以免赶不上往镰仓宫方向的末班公交车。

隔天早晨，我再次仔细重读了每字每句，确认没有错字、漏字和失礼的文句，然后小心翼翼地糊贴好信封，最后盖上刻有“梦”字的封印章就大功告成了。

我将吊唁信附在奠仪里，以挂号寄出。当然也没有忘记在奠仪袋上写上可尔必思夫人的名字。

那个周末的早晨，我正在院子里晾衣服，芭芭拉夫人向我打招呼。

“等一下要不要一起去吃早餐？”

“好啊。”

今天是星期天，山茶文具店一整天都休息。

因为今天没事，原本打算去参加附近一家寺院举办的坐禅会，但早晨的阳光太强烈，才晾个衣服就觉得浑身瘫软。难得去外面吃早餐也不错，可以转换一下心情。

“要去哪里？”

我稍微提高了音量，让芭芭拉夫人可以清楚地听到我的声音。

芭芭拉夫人在绣球花围篱后方仔细地擦着口红。因为连日酷热，绣球花早已垂头丧气。虽然绣球花只要一枯萎，就露出很寒酸的样子，但就算我和芭芭拉夫人交情甚笃，也不能擅自修剪她院子里的绣球花。

“等你准备好再叫我，好吗？”

我正在晾最后一件内衣，芭芭拉夫人擦完很有气质的粉红色口红后对我说。

虽然每次出门前，花很多时间准备的人都是芭芭拉夫人，但我并不会说什么。芭芭拉夫人再度对着镜子抿着双唇，发出“啵，啵”的声音。

好邻居，就是即使没有事先约好，也能视当时的气氛，轻松地临时相约出门。在我小时候，我家和芭芭拉夫人家之间并没有这样的交流。我不记得上代和芭芭拉夫人关系密切，但也不记得她们交恶，顶多是传递小区公告传阅板的关系而已。

但是，就在我长大成人、一度离开镰仓，又回来后，和芭芭拉夫人变得特别投缘，开始密切来往。之后，就和她维持着若即若离的良好关系。

早晨八点多，我骑着脚踏车，载着芭芭拉夫人出发了。虽然让高龄的芭芭拉夫人坐在脚踏车的后座上有点不安，但她很灵活，紧紧抱住我的腰。侧坐在脚踏车上的芭芭拉夫人，就像女学生般天真无邪。

当我们飒爽地骑在还没有什么人的小町路上时，芭芭拉夫人提议说：

“今天天气很不错，要不要去‘花园’？”

我内心也有相同的想法。

我们经过平交道，穿越铁轨，来到后车站。横须贺线的铁路沿线都开满了白色的花朵，每次看到这派景象，就深刻体会到夏天来临了。

来到今小路后，一路骑向“花园”。

花园就在纪伊国屋那个转角，星巴克隔壁。目前这个季节，可以坐在户外的露天座位，一边眺望对面的一片山景，一边用餐。

我点了吐司套餐，芭芭拉夫人点了谷麦套餐，我们一边闲聊，一边悠闲用餐。通常都是聊哪里开了新的商店；哪家餐厅开了分店后，餐点味道变差了；或是咖啡店老板对打工的女生性骚扰这些当地的八卦消息。每次津津有味地聊着这些无聊话题时，时间总是一下子就过去了。

喝完餐后咖啡时，已经快十一点了。芭芭拉夫人从她心爱的藤编包中拿出崭新的iPhone。

“你买了新手机吗？”

我盯着她的iPhone问道。

“是小男友给我的，他说有了这个，就可以随时联络了。”

iPhone的背景图片是芭芭拉夫人的小男友之一。虽然在芭芭拉夫人眼中是小男友，但在我眼里，都已经是如假包换的老爷爷了。

话说回来，芭芭拉夫人到底有几个男朋友？我忍不住羡慕起来。桃花很旺的芭芭拉夫人整天都忙着约会。

聊着聊着，芭芭拉夫人的手机响了。“喂？”她发出的声音已经进入了妖媚模式，让我佩服不已。芭芭拉夫人必定是用这种方式，在无意识中向对方施了魔法。就连在一旁听她说话的我，也忍不住小鹿乱撞，好像坠入了情网。

芭芭拉夫人挂上电话后，觉得很好笑似的耸了耸肩。

“他就在隔壁的星巴克。他说想早点见到我，所以提早到了我们约会的地方等我。那个人是顺风耳，搞不好我们刚才聊天的内容全被他听到了。”

芭芭拉夫人吐了吐舌头，压低声音对我说。虽然她嘴上这么说，但急急忙忙拿出化妆盒，利落地补了口红。

只隔了一道围墙的星巴克御成町店，直接使用了漫画家横山隆一先生的旧居，除了小型游泳池外，樱花树和紫藤架也都保留了下来。我想一个人长时间享受阅读时光的时候，经常会去隔壁的星巴克。无论在里面坐得再久，店员都不会给客人脸色看，感觉很不错。

芭芭拉夫人今天的约会行程是开车去叶山一带兜风，参观美术馆之后，傍晚去吃天妇罗，吃完再回家。虽然她也邀我同行，但我是骑脚踏车来这里的，而且也不想当电灯泡，于是便客气地道谢并婉拒了。

“那改天再聊。”芭芭拉夫人迈着轻快的脚步离开了。账单上放着五百五十元，那是她刚才吃的谷麦套餐的钱。我暗自认为，吃饭各自付钱，是邻居之间维持良好关系的秘诀。

观光客的身影渐渐多了起来，我也跟着起身离开。

只要看一眼，就可以分辨出是不是镰仓本地人。正式迎来夏季的镰仓，到处都是衣着清凉、从东京来海水浴场玩的年轻人。

学生开始放暑假后，原本生意就很冷清的山茶文具店变得更加门可罗雀。上代曾因无法忍受店里的生意太清淡，于是在店门口排放桌子，开设了书法教室，但她实在太严格，学生都逃走了，没有人敢再上门。

话说回来，山茶文具店的商品传统到不行。

笔记本、橡皮擦、圆规、尺、马克笔、胶水、铅笔、剪刀、图钉、橡皮圈、信纸、信封，都是基本款中的基本款。

基本固然很重要，但这里的商品完全没有一丝玩兴，所以色彩也很单调。我觉得应该卖一些除了附近的中小学生之外，年轻女生也会喜欢的可爱漂亮文具。只不过我想归想，迟迟没有付诸行动。

店里没卖自动铅笔也是一大失策。之所以不卖自动铅笔，是因为上代严格坚持的执着。

她认为，铅笔最适合写字。

小孩子用自动铅笔写字简直岂有此理。如果有学生上门买自动铅笔，她就会生气地把客人教训一顿。把自动铅笔简化成“自动笔”的叫法，也会让上代怒不可遏。

虽然销量并不尽如人意，但对一家小文具店来说，这里的铅笔种类很丰富。“B”前面的数字决定铅笔的深浅，数字越大，笔芯越柔软，颜色也越深。销路最好的是HB和2B这两种笔芯较硬的铅笔，店里还有10B这种罕见商品。10B的笔芯直径是普通笔芯的两倍，是一支要价四百元的高级货，也被称为“毛笔铅笔”。

天气实在太热，我懒得整理房间，于是一边顾店，一边用毛笔铅笔练习五十音习字歌。

话说，家里唯一的一部冷气机坏了，请附近的电器行老板检查后，说维修的零件已经停产，无法修理。

所以家里热得像桑拿。因为山茶文具店店面的唯一一台电风扇，就装在天花板附近的墙上，所以我总是坐在那里，一步都不想离开。最近我整天都坐在店里，托着下巴照顾生意。

练字到一半时，竟拿着毛笔铅笔就这样睡着了。自从冷气机坏了之后，我比以前更想睡。听说睡觉是克服酷热的防卫本能，所以我放任睡魔恣意作乱。

当我睁开眼睛时，没想到和一个女孩四目相交，我吓了一大跳。

我忍不住紧张起来，以为该来的还是躲不过。不是我在自夸，镰仓撞鬼的目击情报层出不穷，尤其我住的这一带更是频繁。镰仓在历史上曾发生过激烈的战役，到处都是有人遭到杀害，或整个家族惨遭灭门的地方。也就是说，镰仓是一大灵异场所。

但是，眼前这个女孩似乎不是幽灵。我觉得她好像有点面熟，但想不起她是谁。她剪了个妹妹头，看起来像是头大身细的木偶娃娃“木芥子”。

木偶妹妹没有向我打招呼，劈头就说：

“阿姨，你的字很漂亮。”

在小学生的眼中，超过二十五岁的我当然是阿姨。尤其我今天找不到衣服穿，所以把上代生前常穿的无袖棉质洋装穿在身上，看起来说不定更老气。

“你要找什么吗？”

问完这句话之后，原本还想补充“如果你要找自动铅笔，这里没有卖”，但舌头转不过来。睡魔仍然占据全身每一个角落。

木偶妹妹板着脸，不耐烦地用力摇着手上的扇子。她扇的风也有几丝吹到我这里。凉风很舒服，身体又快要融化了。

“阿姨，你会帮我写信，对吗？”

木偶妹妹瞪着我问道。我原本以为她是来买文具的。我从没有接过小学生委托代笔的工作。

“拜托你帮我写信！”

木偶妹妹的态度和刚才判若两人，露出谄媚的眼神看着我。

“但是……”

我忍不住吞吞吐吐。

“我会付钱。”

这不是重点。

“你要写给谁？可以告诉我吗？”

为了谨慎起见，我觉得至少要了解一下情况，于是这么问她。

“老师。”

木偶妹妹勉为其难地回答。

“为什么想写信给老师？”

当我追问时，她露出“我不想说”的不悦表情，低下了头。

山茶文具店都会端茶或其他饮料给上门委托代笔的客人，我把木偶妹妹留在店里，从后头冰箱里拿了柚子汽水。那是芭芭拉夫人一位住在高知的男友寄给她的中元节礼品，她分给我几瓶。

“请喝吧。”

我打开盖子，把柚子汽水递到木偶妹妹的面前，也为自己拿了一瓶。天气太热，整个人汗流浃背的。我忍不住打开汽水喝了起来，冰冷的气泡好似小鱼般在嘴里蹦跳。喝了汽水，就像有一条冰冷的隧道贯穿身体中心。

“讯。”

木偶妹妹吞吐着开了口。

“讯？”

我没有听清楚，反问她。

“你是说信吗？”

木偶妹妹用力点了点头。

“什么信？”

我发挥耐心，向木偶妹妹问出详细情况，就像整理一团纠缠在一起的线。木偶妹妹再度简单地回了一个字：

“情。”

琴、禽、勤、芹、晴？

但我觉得应该是“情”这个字。

“所以，你想写情书给老师吗？”

我小心谨慎地跟木偶妹妹确认。

木偶妹妹终于把柚子汽水的瓶子放到嘴边。她似乎喝得欲罢不能，一口气便喝完了。仔细一看，木偶妹妹的嘴巴周围有一圈淡淡的汗毛。她吐着带有柚子香味的甜甜气息对我说：

“因为我自己写的话，一下子就会看出是小孩子写的。我只要让老师知道我的心意就好。婆婆告诉我，这里的阿嬷可以帮人写很出色的信。”

听到她说“阿嬷”，我忍不住有点不高兴，但很快就意识到，她指的是上代。也就是说，木偶妹妹的祖母曾委托上代写信。

“因为有阿嬷帮忙写信，婆婆才会和公公结婚，所以，拜托你！”

木偶妹妹深深低头拜托，简直就要碰到地板似的。她突然提出这样的要求，我也不知如何是好。

“可不可以让我考虑一下？”

我对木偶妹妹展现了最大的诚意。

这不是可以轻易接下的工作。木偶妹妹看起来像是小学高年级的学生。虽然不算是大人，但也不算是小孩子。这样的孩子写情书给老师，万一引发什么问题或事件……

这么一想，便无法轻易做出判断。这种时候，需要格外小心谨慎。

“谢谢你的汽水。”

木偶妹妹说完，猛然站了起来，转身走出山茶文具店。我默默目送她蹦跳着离开的背影。

夏日的夕阳把门外的巷子染成一片橘色。

那天晚上，可尔必思夫人现身了。

文具店打烊后，我受芭芭拉夫人的邀请，去她家吃素面。她临时取消了当天的约会，难得晚上在家。我听到山茶文具店那里有声音，走过去一看，一位娇小的女性站在山茶树下。

那名女性穿着高尔夫球衫，我一开始没认出是可尔必思夫人。看到她袜子的图案，才发现她就是前几天曾经上门的可尔必思夫人。她竟然去打高尔夫球，脚伤没问题了吗？虽然我有点在意，但并没有问出口。

“你好。”

我从她背后打招呼，可尔必思夫人惊讶地转头看着我。巷子里停着一辆鲜红色的BMW（宝马）。不知道她是否擦了防晒乳，黑暗中，只看到她白皙的脸。

“我特地绕过来，想要付上次的费用。”

虽然早就已经打烊了，但想到她特地过来付钱，也不好意思无情拒绝。我急忙绕到后院，进到家门后，从里面打开了山茶文具店的门。

我请可尔必思夫人进来。

“上次真的多亏你帮忙，太感谢你了。砂田太太还特地打电话来道谢，哭着对我说，吊唁信写得太好了。”

可尔必思夫人语带兴奋地说。

“那真是太好了。”

自己代笔的书信能对他人有帮助，是一件令人高兴的事。

“请款单写好了吗？”

“写好了。”我回答后，拿出放在抽屉里的请款单交给她。

“请过目。”

“哎哟！”

她从信封中拿出请款单打开一看，立刻发出了惊叫声。我以为她嫌太贵，忍不住浑身紧张。

“这么便宜没问题吗？”

可尔必思夫人小声地嘀咕，然后优雅地从昂贵的真皮皮夹里抽出一张万元纸钞。

“不必找了。”

她若无其事地说。那是一张崭新的万元纸钞，简直就像是刚印出来的。

我有点不知所措。

“我能够有今天，多亏了令堂。”

我完全听不懂她在说什么，露出错愕的表情。我并没有可以称为母亲的人。

“平时在这里顾店的人，是令堂吧？”

这次轮到可尔必思夫人露出错愕的表情。我终于恍然大悟。

“她是上代代笔人，是我的外祖母。”

我小时候也曾误以为上代是我的母亲，所以别人会误会也是很正常的。

“她为我写了一封打动我老公的情书，所以我们才会结婚哦。”

听了可尔必思夫人的话，我不知该怎么回答。

“哎哟，你不知道吗？”

没想到她露出纳闷的表情。

“所以您知道这里承接代笔业务。”

我觉得终于找到了谜底。

“是啊，当时我住在小坪，所以经常偷偷走路来这里。令堂，不对，是你的外祖母在湘南很有名。虽然我没有为这件事向她道谢，也一直没有来问候她，但接到砂田家权之助的讣闻时，我就想到，也许这里还在营业。结果就来看了一下，果然还在营业，真是吓了一大跳，而且是你这么年轻的小姐代写吊唁信。我把这件事告诉孙女，她说她已经来过这里，又吓了我一大跳。”

原来是这样。难怪今天下午看到木偶妹妹时，觉得她看起来有点眼熟。

“我对我孙女说，如果没有这里的阿嬷，就不会有她了，她似乎因此感到好奇。如果她有什么冒犯，还请你多见谅。”

这时，店门外传来汽车喇叭的声音。一辆快递小货车就停在可尔必思夫人的车子后方。

“哎哟，不小心聊太久了。对不起，那我就告辞了。”

可尔必思夫人不再拖着腿，大步走出山茶文具店，坐进驾驶座。她向我微微欠身后，便驱车离去。而刚刚停车的地方，只剩下深沉的黑夜。

有一次，我跟上代顶嘴。那是我高中一年级的时候。

“这就是骗人嘛！全都是假的，根本是在说谎！”

在此之前，我顺从地遵守、听从上代的吩咐。那是我第一次反抗。

“如果你觉得这是骗人也无所谓，但是，有人就算想写信也没办法自己写。自古以来，代笔人就像所谓的影武者，跟战国时代武将和大名的替身一样。这些人绝对无法曝光，却对他人的幸福有所帮助，是受到感谢的职业。”

上代说完后，以送礼的点心为例向我解释。

“鸠子，你听我说。”上代目不转睛看着我的双眼，“比方说，为了表达内心的感谢，我们会带一盒糕点给对方。这种时候，通常会去自己觉得好吃的店家买来送人，不是吗？也许有人很擅长自己做，会带亲手制作的糕点；但是，买来的糕点难道就无法表达诚意吗？”

上代这样问我，我答不上来，只能沉默地等她接着往下说。

“对不对？即使无法带自己亲手制作的糕点，只要在店里认真挑选，同样充满了真心诚意。

“代笔人也一样。

“能够顺利表达自己心情的人当然没有问题，但是，代笔人是为无法做到这一点的人代笔。因为有时候，这样更能向对方传达内心的想法。

“鸠子，我虽然能理解你说的话，但如果像你说的那样，会让世界变得狭隘。

“俗话不是说‘术业有专攻’吗？只要有人需要请别人代笔写

信，我就会继续当代笔，就只是这么简单。”

我可以感觉到，上代很努力地向我传达重要的事；虽然我无法理解她说的每一句话，但能大致了解她想表达的意思。

最重要的是，我能够理解她用糕饼店来比喻的方式。当时的我认为，代笔人就和糕饼店差不多。

我不经意地抬起头，和放在佛坛上的遗照四目相对。

上代和寿司子姨婆一起看着我。上代露出严肃的表情，寿司子姨婆则面带微笑，好像刚吃完什么好吃的东西。虽然她们是同卵双胞胎姐妹，但性格南辕北辙。

上代在不到一岁时，被送到雨宫家当养女。听说她们自懂事起，便从来没有一起玩过，或是一起吃饭、洗澡。上代绝口不提这件事，就连平时很健谈的寿司子姨婆，也不太愿意谈这件事。

直到我上初中后，她们才又开始来往。上代虽然对我很严厉，但寿司子姨婆上门时，简直判若两人。每次只要寿司子姨婆来家里，就可以吃到寿司和比萨，所以我举双手欢迎寿司子姨婆来玩。

寿司子姨婆住在家里的时候，晚上不必练书法这件事也令人高兴。上代只有在这时候才允许我看电视。寿司子姨婆每次都带很多零食当伴手礼，晚餐后一边吃零食，一边聚在一起聊天很是开心。

如今，她们两姐妹一起埋葬在上代为自己准备的永久供养墓中，即使没有后代祭拜，庙方也会永久祭祀、管理。先一步离开人世的上代在墓中迎接了寿司子姨婆。

她们在生前约好。虽然曾经一起生活在母胎里，但出生后分隔两地，共同生活的时间很少，所以希望死后能葬在一起。

“波波。”

芭芭拉夫人叫我。

“来了。”

“素面还没吃呢。”

“我马上过去。”

即使不特地打电话，只要稍微拉高嗓门就可以对话，实在太方便了。

我急忙从冰箱里拿出桃子。几天前，我在附近的蔬果店买了桃子，打算和芭芭拉夫人一起吃。我在镰仓没有好朋友，芭芭拉夫人是我唯一的朋友。

桃子刚好成熟了，散发出淡淡的甜蜜香气。

其实，我有一段羞于见人的过去。虽然每个人都有一两件不愿回想的往事，但我的那件往事真的非同小可。

虽然过去也不时顶嘴，但高中二年级的夏天，我开始真正地反抗起上代。这是迟来的叛逆期。在此之前，从拿筷子到说话，乃至举手投足，上代都对我严加管教，我也努力响应她的要求。但是，某天开始，我终于忍无可忍。

“死老太婆，啰唆死了，你给我闭嘴！”

以前努力压抑在内心的咒骂竟然脱口说了出来。我也被自己的举动吓到了，但话语既出，就无法再收回了。

“不要把你的人生强加在我的头上！”

我把自己手上的毛笔重重地甩在榻榻米上，对她破口大骂。那是用我的胎毛制作的纪念笔。

“都什么年代了，还在当代笔人？笑死人了！”

这次，我用力往放在旁边的书信盒一踩，踩烂了上面镶嵌的鸽子。

班上的同学经常去山上和海边玩，就连几个在班上不起眼、但平时和我关系还不错的同学，也兴奋地相约要安排去迪士尼玩个两天一夜；我暗恋的一个美术社的男生也会参加。虽然他们也邀我同行，但我当然只能拒绝。

我忍不住冷静思考，为什么在这么热的天气里，我还要刻苦练习这些自己根本不喜欢的书法？打从出生起便一直闷在内心的愤怒和疑问，就像岩浆般一口气喷了出来，就连我自己也无法阻止。

我冲出家门，骑着脚踏车，直奔车站前的快餐店。我一拿到汉堡，便大口塞进嘴里，几乎没有咀嚼，配着可乐便吞了下去。在这之前，我一直遵守上代的规定，从来没吃过汉堡，也不曾喝过可乐。

那天之后，我变成了不良少女。我把裙腰一折再折，让裙子变得极短；穿上泡泡袜，把头发染成棕色，又去打了耳洞。学生鞋的鞋跟总是踩在脚下，好让自己看起来更邋遢；指甲则擦上了鲜艳的指甲油。当时正是年轻女生流行把皮肤晒得黝黑的“一〇九辣妹”全盛时期。

以前的我，在班上朴素而不起眼，根本没人注意我，没想到突然变了一个人，班上同学和周遭的人都大吃一惊。我彻底颠覆了过去的形象，在“一〇九辣妹”之路上狂奔。

上代和我为了这件事不知道吵了多少次架，我还曾一把推开她，抓住她的手臂抵抗。那是我人生第一次的“抗议行动”，是为了正义进行抗争。

那时候，如果不用某种方式报复夺走我青春的上代，我就咽不下那口气。同时，我也想要让失去的青春重来一次：我想穿自己喜欢的衣服，按自己想要的方式化妆，吃自己想吃的食物。

变成不良少女后，没有人想跟我做朋友，所以我始终独来独往。同学应该都对我露出好奇的眼神，对这样的我敬而远之。虽然现在回想起来，会为那样的自己感到无地自容，但当时甚至无暇感到羞耻。

高中毕业、进入设计相关专业学校的同时，我也从“一〇九辣妹”毕业了。

所以，现在遇到曾知道我“一〇九辣妹”时期的人，我会觉得很丢脸。如果可以，我希望他们即使看到我，也不要跟我打招呼，把我当空气就好。

镰仓烟火大会的隔天，又接到了代笔的工作。

客户委托我写一封向亲朋好友报告离婚的信。

如果是报告结婚大事，写起来就很简单；但问题是离婚，让我忍不住停下来思考。上代的家传宝典中，也没有任何关于报告离婚书信的注意事项。既然这样，我只能自己摸索。

这封信的内容不能够太感伤，但如果用公事化的方式报告，未免显得太平淡无趣。听这位前夫说，他们过去曾举办盛大的婚礼，所以想用书面方式向当时参加婚礼的人报告。这对离婚的夫妻并没有孩子，而离婚的原因是前妻爱上了别人。

“但是，我不想让我太太一个人当坏人。”

这位前夫在山茶文具店里喝着汽水，静静地对我说着。

“那么，要在信中详述你们走到离婚这一步的来龙去脉吗？还是尽可能模糊这个问题？”

这件事很重要，所以我向这位前夫确认。他只是沉吟着，低头不语。其实应该可以用“个性不合”这种了无新意的理由模糊焦点，但这位前夫做出了很有勇气的决定。

“请写清楚吧。但是在此之前，我希望你也能好好写出我们曾有过美满的婚姻生活这个事实。”

过了很久，前夫用沙哑的声音说道。

我询问他和前妻过去最美好的回忆。

听他诉说时，我一边记录重点，一边忍不住热泪盈眶。

因为，即使曾经共度这么美好的时光，仍然因为人生的一点恶作剧，让两个原本誓言相守终生的夫妻就这样分道扬镳。对不曾结过婚、更没有离婚经验的我来说，婚姻实在是一个奇妙的世界。我还没遇到想要厮守一辈子的人。

最后，前夫露出坚定的眼神看着我说：

“俗话常说，只要结局完美，过去的种种都算好。我希望这封信能够达到这样的效果。但我内心百感交集，无法好好写这封信，所以就拜托你了。”

原本可以用电子邮件简单完成这件事，但这位前夫决定用写信的方式，通知亲朋好友离婚一事，我猜他必定是一位忠实耿直的人。

这位前夫三十九岁，前妻四十二岁，在结婚第十五年离婚。

我首先用计算机草拟这封信的内容。

如果是简单的书信，直接提笔而写，可以增加临场感。但是像这种信，必须字斟句酌，反复琢磨、推敲文章的内容。上代虽然不用计算机，但也会在稿纸上先写草稿。

重要的是，必须向曾经温暖守护这对夫妻的亲朋好友表达感谢之心，并让亲朋好友了解，大家的这份心意绝对没有白费；另外，也真心诚意地为两人无法携手到老向大家表达歉意。同时，希望这些亲朋好友能继续支持这两人各自迈向不同的人生。

除了信的内容，我也打算慎选信纸、信封和书写工具。

如果是写给私人的正式书信，基本上都是用毛笔写在卷纸上，并采用直书方式书写；但这次和喜帖一样，要同时寄给超过一百位亲朋好友。虽然可以用毛笔完成后，再用影印的方式大量复制，但考虑到收信人的感受，会觉得寄送影印的信缺乏诚意，也太不尊重对方。

书信除了正确向对方传达自己的想法，避免对方收到信时心生不快，也同样重要。

犹豫再三，我决定这次不用手写，而是采用铅字印刷。因为这封信将以他们两人联名的方式寄出，所以，采用铅字印刷或许更能如实传达他们共同的心声。只要挑选感觉比较柔和的字体，即使是铅字，也能够表达内心的微妙之处。在注重整体礼节的同时，我希望内容能更充满真情和温馨。

我和这位前夫讨论多次，终于完成了内文。已和新欢在冲绳离岛展开新生活的前妻自始至终都不曾在山茶文具店现身，但既然是以他们双方的名义寄这封信，必须请她确认内容才行，于是以前夫为窗口，汇总了两个人的意见。

接着，我委托印刷厂进行印刷。那位前夫说，即使多花一点钱，也希望这封信能让人感受到诚意、留下深刻印象，所以决定用活版细心地印刷文字，传达两人的心意；但如果过度讲究，反而会让人觉得他们对离婚这件事乐在其中，所以必须小心拿捏分寸。

活版印刷是自古以来的印刷技术，必须逐一拣字排版后进行印刷。目前以平版印刷为主流，但以前的书都是用活版印制的，铅字会在纸张表面留下轻微的凹凸，可以传达手工制作的温度，所以我左思右想，决定用这种方式印刷。

直到最后一刻，我仍然很犹豫到底该采用横书还是直书，但最后仍决定采用横书。因为直书必须写开头应酬语、正文、结尾敬辞、署名与日期，以及补述等，就会变成一封很“制式”的信。但采用横书的话，就可以适度加以省略，能够充分表达向亲友报告离婚一敬致关爱我们的各位：

夏阳高照的季节来临，镰仓的绿意也更加蓬勃。不知各位是否别来无恙？

在鹤冈八幡宫举行婚礼至今，转眼已过十五载，不禁感叹时光流逝如此匆匆。

能在各位的见证下，于樱花飘舞的庄严气氛中共结连理，堪称人生之大幸。

平日，我们各自努力工作；假日，则常偕同前往海边或山野健行。生活虽然平淡，但夫妻共同享受了日常的平凡幸福，我们都希望能随着岁月的累积，加深彼此的理解和情感。

虽然我们无缘得子，但也因此邂逅了爱犬汉娜，我们视她如己出，疼爱有加。

回想起来，带着汉娜一起去冲绳旅行的时光，是我们一家人无可取代的美好回忆。

此次提笔，是为了向各位报告一件遗憾的事：

我们在七月底解除了夫妻关系，正式离婚。

虽然我们花费很长时间沟通，摸索是否能找到继续相处的方法；也曾请亲密的友人提供协助，努力寻求最完善的方式，希望走向圆满的结局。但是，前妻希望能与新的伴侣共度未来的人生，无悔活出自我的意志也相当坚定。最后，我们决定分道扬镳，各奔前程。

虽然我们无法携手相伴到白头，但仍将默默支持彼此的第二人生。

因此，如蒙各位认为我们为了追求幸福的人生，做出富有勇气的决定，我们将深感万幸。

各位温暖地守护我们夫妻，如今却辜负了各位的期待，为此着实深感痛苦。

衷心感谢各位至今为止的亲切和关爱，有幸和各位结缘，带给我们莫大的鼓励和安慰。

虽然我们决定迈向不同的人生，但仍希望能够维持与各位之间的缘分，这也是我们的共同心愿。

希望有朝一日，能笑着谈论今天。

满怀感恩之心。敬颂

崇祺

事的重点。现在和以前不一样，大家并不排斥横式书写的信。

从印刷厂送回来的成品非常精美，让人忍不住想要用脸颊磨蹭，每个字都恭谨地排列在美国Crane & Co. 生产的棉浆信纸上。

因为是横式书信，所以信封也挑选了横式的西式信封。和信纸一样，同样挑选了由Crane & Co. 生产的信封。信封内层使用了宛如冬日夜空般的深蓝色薄纸，期待能让收件人觉得，即使在黑暗中，也能感受到星星般的希望。

接着，在每个信封上分别写上不同的住址和姓名。当年参加婚礼的宾客名单，如今用来寄发离婚通知。必须注意的是，其中有几位宾客离了婚，姓名和住址都已经更改。

因为收件人的地址和姓名也采用横书，所以这次没有用毛笔，而是用钢笔。我使用了J. Herbin的珍珠彩墨，从三十种颜色中，挑选了“Gris Nuage”这种颜色，在法文中代表“灰云”之意。

在棉浆纸上试写后，发现墨水的颜色太淡，看起来好像吊唁信。于是我打开瓶盖，放上一整晚，让水分蒸发，加深墨色。如果把墨水和除湿剂一起放进塑料制密闭容器中的话，可以加快水分蒸发的速度。

水分蒸发后，颜色终于变深的墨水和Crane & Co. 的棉浆纸相得益彰，在信封上呈现高雅、清秀的模样。我想借由灰色的墨水表达他们内心的谦卑，但那绝对不是悲伤的颜色，云层的后方必定有一片蓝天。

直到最后，我都无法决定邮票。

如果说，信封的正面像是脸，那么邮票就是决定脸部整体印象的口红。一旦选错口红，会毁了整张脸给人的印象。邮票虽小，但事关重大。挑选邮票，也可以看出寄信人的品位。

这是一封既非喜事，也非丧事，很难定位的信。虽然通常会贴上与即将到来的季节相关图案的邮票，但总觉得太平淡了。从信的内容和结果来看，贴上这对夫妻生活多年的镰仓当地的纪念邮票，反而有点不解风情。我仔细翻找了上代留下的邮票，也没有找到中意的。

因为手上没有满意的邮票，最后上网订购了十五年前推出的邮票。

十五年前，刚好是这对夫妻结婚那一年。

贴上累积了相同岁月的邮票，似乎可以象征某种意义。

在信件末尾写上日期和夫妻双方的名字，就大功告成了。

直书时，可以省略标点符号，但这次使用横书，所以采用了与商业文书相同的形式。这封信用了两张信纸，把每封信仔细折好后，装进信封。

最后，用封蜡封口。这次选用的是土耳其蓝色的封蜡，鲜艳的蓝色很符合土耳其的印象。前妻虽然对信的内容几乎没有提出任何意见，却很坚持要使用这种颜色的封蜡。

将蜡放进上代使用过的银制蜡匙，再移到酒精灯上，让蜡慢慢熔化。这种蜡的最大特征，就是在熔化时，会发出蜜糖般的甘甜香气。

等蜡完全熔化后，将蜡倒在信封封口。这次使用的，是这对夫妻姓名缩写中都有的“M”字封蜡章。

这是他们蜜月旅行去意大利时，在文具店偶然看到的。虽然第一次使用，就是通知亲朋好友离婚一事的信件，感觉有点讽刺，但滋润饱满的封蜡章非常令人赏心悦目。

盖下封蜡章，等它冷却，再用力按压一次。一次又一次重复这个过程，直到封印完最后一封信。封蜡章盖得不够漂亮时，则必须等到蜡冷却后，从信封上剥下，再放回银匙中熔化，重新盖一次。

只要等到明天早上，送到车站前的邮局，就可以结束耗费一个月的漫长任务。他们夫妻已经离婚了，一旦寄出这封信，离婚就会变成现实。

在最后关头，我突然想到一件事，拿出秤来称了一下信的重量。这是从上上代就开始使用的老秤。

如果对方收到信时，发现上面贴了一张“邮资不足”的纸，无疑是最失礼的事。普通信件不超过二十五克，只要贴八十二元邮资就好；一旦超重，就必须补贴一张十元的邮票。幸好只有十八克，所以不必担心。

我不经意抬头看向月历，时间已经进入八月。很快就是中元节假期了。

雪洞祭和黑地藏庙会都在不知不觉中结束了。这时，好像有人突然拔掉了我的耳塞，聒噪的蝉鸣声传入耳朵。

山茶文具店在中元节假期休息一星期。

暑假的最后一天，我从镰仓车站搭乘横须贺线来到东京。因为即使留在家里，也只是碌碌无为地浪费时间，不如干脆到东京找邮票。镰仓虽小，但基本的生活用品都可以在附近搞定，所以很久没有去东京朝圣了。

那位前夫告诉我，大家都顺利收到了他们的离婚通知。虽然信中并没有明确提及离婚的直接原因，但大部分的人似乎都看出了端倪。

他用比之前更开朗的声音告诉我，就连原本已经疏远的朋友也打电话来鼓励他。如果向亲朋好友报告离婚一事，能有助于他们踏出新的一步，无论对前夫或前妻来说，这封信应该都很有意义。

但是，在关于邮票的事情上，我很难说尽了最大的努力，总觉得应该有更适合的邮票。即使在寄信后，我仍一直挂念这个问题。为了避免日后再度产生这样的后悔，我希望丰富自己手上邮票的种类。

顺利完成离婚通知信代笔的这项大工程后，我内心渐渐对代笔人这份工作感到自豪。

虽然少不更事时曾经叛逆，也曾诅咒自己必须成为代笔人的命运，但是到头来，我只有这点能耐；主要是高中毕业后，我进入专业学校学习设计所了解到的。上代去世后，我对一切感到心灰意懒、逃到国外的这段时间，写字这个一技之长拯救了我。

每次只要手头拮据，我就为那些对汉字和日文充满向往的外国人写日本的文字。当时正流行东方文化，经常看到外国年轻人得意扬扬地穿着印有汉字的T恤，或是直接在身上刺了汉字刺青。但大部分的汉字都写错了，或者即使汉字本身写对了，意思也往往让人啼笑皆非。

比方说，想要写代表武士的“侍”，却写成了“待”，这种事根本是家常便饭。甚至有年轻女性穿着应该是想用日文汉字来表达“自由”（free）却写成了“免费”的T恤，若无其事地走在大街上。正确使用汉字的情况反而很少见。

当我用自来水笔为他们写日文或汉字时，他们都会很高兴。我在人生中切身体会到“一技在身，不愁吃穿”的道理。当时，我第一次对上代充满感激，只不过已经没机会向她道谢了。

寿司子姨婆去世后，我回到镰仓，继承了这家山茶文具店。也许在国外生活期间，我渐渐培养了成为代笔人的心理准备，也终于下定了决心。

我在东京买了很多邮票，傍晚时分，心情愉快地回到镰仓。刚走出东口的验票口，就听到有人叫我。东口是比较热闹的出口。

“波波！”

我忍不住紧张起来，还以为遇见知道我不堪回首的往事的熟人，但听到声音的语调，大致已猜到是谁。果然不出所料，一回头，就看到芭芭拉夫人在人墙后方拼命向我挥手。

我拨开人群，好不容易才挤到芭芭拉夫人的面前。芭芭拉夫人似乎去了发廊，齐肩的头发烫成了鬈发。

“真漂亮啊。”

我称赞道。

“谢谢！波波，你今天出门了吗？”

她语带兴奋地问我。

“是啊，我去东京买邮票。”

“还没吃晚餐吗？”

我回答说，正准备去吃。

“那要不要一起去海边吃？”

芭芭拉夫人用一百瓦的明亮声音问。

在中元节假期期间，我一直独自吃饭，所以今天的确想找人一起吃；话说回来，我也只会找芭芭拉夫人一起用餐。

我立刻和芭芭拉夫人一起沿着若宫大路走到海边。绚烂的夕阳很刺眼，连眼睛都觉得有点痛了。

路上，我们走进位于联售站里的面包店，买了刚出炉的红豆面包。“联售站”的正式名称是“镰仓市农协联合会零售站”，除了新年假期休息四天以外，几乎全年无休，每天早上八点就开始营业，专卖镰仓近郊农家采收的蔬菜。联售站一角有家名叫“Paradise Alley”的小面包店，那里的红豆面包是极品。

圆形的面包表面用白色粉末画着笑脸图案，无论什么时候看，都觉得很可爱。面包似乎是刚出炉的样子，还热腾腾的。

来到海边，发现海岸旁搭起了一整排临时小屋。

我在沿着阶梯走向沙滩的途中，脱下了高跟鞋，难得光着脚走路。芭芭拉夫人的脚上擦了漂亮的白色指甲油。走下水泥阶梯，踩在沙滩的瞬间，脚背立刻觉得被冰凉的沙子紧紧拥抱。

“我最喜欢在沙地上走路了。”

芭芭拉夫人像是五岁小女孩般兴奋地说道。

“真舒服啊。”

我也跟在芭芭拉夫人身后。细碎的沙子包覆住双脚、然后又离开的感觉，就像精灵在脚底搔痒。

芭芭拉夫人大力推荐的泰国菜摊位人满为患，我们找到了能眺望大海的露天座位，然后各自从几家卖泰国菜的摊子买了自己喜欢的食物。

我点了炸春卷和炒空心菜，芭芭拉夫人点了泰式炒面，我们一起分享这些菜肴。

当我回过神时，发现太阳已经沉落。夜晚恣意现身在我们面前。小孩子在海边放烟火嬉戏，就像在喂食“刚出生的夜晚”这种动物。海浪宛如为夜晚轻声哼唱催眠曲般温柔，缓缓地、缓缓地，有如轻触身子般爱抚海滩。一只狗游向海上。

我望着夜晚的大海，好似出了神。

“波波！”

芭芭拉夫人对着我的耳边叫道。

“欣赏晚霞当然很棒，但菜都冷掉了。”

芭芭拉夫人又为我装了一盘泰式炒面。

我把鼻子凑了过去，闻到酸酸甜甜，却无法一言以蔽之的复杂亚洲风味。我拿起不怎么顺手的塑料筷子把面夹了起来，热气顿时像是跳舞般扩散。脆脆的油炸花生成为完美的点缀，整体感觉很好吃。

芭芭拉夫人嘴里也发出咬碎炸春卷皮的清脆声。我在世界各地流浪期间，也曾在田里帮忙，香菜和鱼露早就难不倒我了。

炒空心菜并不会太咸，调味恰到好处。每盘菜的分量都很多，光吃这几道菜就已经饱了。

我再度看向大海的方向，发现星星出现在天空中。出现在大海上方的星座感觉比平时更壮观，也更加悠闲自在。

我无声地和夜空中的星星交谈着。

“啊，夏天快要结束了。”

芭芭拉夫人垂头丧气地说，似乎发自内心地感到遗憾。

虽然眼前是一片热闹景象，但中元节过后，人潮就会逐渐减少。九月之后，海边的临时小屋也都会拆除。

“芭芭拉夫人，一年四季中，你最喜欢哪一个季节？”

我看着夜晚的大海问道。

“当然是一年四季都喜欢啊。”

芭芭拉夫人不假思索地回答。

“波波，你呢？”

芭芭拉夫人反问我。

“以前……觉得是夏天。”

我反而吞吞吐吐。

“哎哟，所以今年的夏天不怎么开心吗？”

“不，那倒不是。”

我挤出笑容回答。

那些孩子的烟火放完了，狗也从海上回到了岸边。刚刚开始，风突然变强了。无论白天再怎么热，海边的夜晚还是有点凉意。我打开包包，正准备拿出开襟衫时，芭芭拉夫人提议：

“要不要去对面的咖啡店喝杯热茶？”

“对面”指的是材木座。夏天期间，由比之滨和材木座之间会架起木制小桥。即使不特地步上阶梯、往海岸道路走，也可以跨越滑川的出海口，在两处海滩间自由来去。

我们光着脚走过小桥，前往材木座海岸。由比之滨有很多观光客，材木座则大部分是本地人。

脚下的沙子比刚才来的时候更冰凉。我们听着以大音量播放的《南方之星》歌曲，品尝着茉莉花茶。身体似乎在不知不觉中着了凉，欣然接受热腾腾的茉莉花茶。

喝了一会儿茶，渐渐有了睡意，因此我们没有久留，离开了海边。大海的能量太强，光是身处海边，身体就很疲倦。

夜色中，我们沿着往车站方向的道路，一步步走向八幡宫。

据说在横须贺线开通前，比一般道路稍高的参道——“段葛”的起点是在第一鸟居的位置。

当我们走向第二鸟居时，月亮才终于露脸。芭芭拉夫人随口哼着听起来像是童谣的旋律。

芭芭拉夫人说，她要先去买点东西再回家，于是我们在镰仓站前道别。因为还不到八点，她还来得及去纪伊国屋采买。我并不需要买什么东西，所以就先搭上往镰仓宫方向的公交车。我实在没有力气走路回家了。

白天因为塞车而开得慢吞吞的公交车在若宫大路上快速行驶的感觉很爽快。丰岛屋的入口今天也挂着像呼啦圈般的巨大大袚注连绳。每次看到夜晚的八幡宫，都让我觉得很像龙宫。

我看着被灯光照亮的八幡宫出了神，突然想起了红豆面包。原本打算和芭芭拉夫人去海边吃，才特地买了面包，结果两个都原封不动地放在我的包包里。虽然明知道很没礼貌，但还是偷偷在公交车上吃起了红豆面包。

像法国面包般偏硬的外皮里包着松软的红豆沙。内馅除了我喜欢的红豆沙，还加了像是杏桃般酸酸甜甜的水果。

决定等会儿要把芭芭拉夫人的红豆面包装进袋子，挂在她家大门的门把上。山茶文具店明天又要开张营业了。

打开门锁走进家门时，屋内传来了奇妙的声音。

我出门时，似乎有金琵琶闯进了屋内。从刚才就一直发出“铃铃铃铃”的清脆叫声。原本打算找到它后，把它放到屋外，但最后决定继续欣赏一下金琵琶的鸣叫声。

我不由得想喝点酒，把寿司子姨婆留下的梅酒倒进杯里。上代的父母期望她们一辈子不愁吃，为上代取名“点心子”，为她的双胞胎妹妹取了“寿司子”的名字。至于她们的人生是否真的如了此愿，似乎一言难尽。这对名字和点心、寿司有关的姐妹，如今相亲相爱地长眠在同一座墓中。

我突然想到现在正是中元节，立刻把梅酒供在佛坛前。

寿司子姨婆有时候会喝酒，但上代滴酒不沾。虽然她们长得一模一样，但性格相差十万八千里。有人送东西上门时，上代每每诚惶诚恐地道歉说：“真不好意思。”但寿司子姨婆总是面带笑容地向对方道谢。

我配合金琵琶的独唱，敲了一声铜磬，合掌祭拜。

金琵琶似乎带来了秋天。

不知道从哪里吹来一丝凉风。

秋

秋天，或许是个会让人想写信的季节。

这一阵子连续接到代笔的工作。

前来委托的多半是留言条、对方发生不幸时的问候信、找工作失败的鼓励信，以及为自己在酒后失态道歉的信，把很难当面说出口的话诉诸文字。

也有客人委托我写一封平淡无奇的信。

“你可以为我写很普通的信吗？”

园田先生很委婉地说。

“我只想告诉她，我还活着。”

他平静而稳重的说话声，就像美丽山丘上吹过的一丝微风。

“要写给谁？”

我也模仿园田先生小声说话。

“我的青梅竹马。虽然我们曾经私订终身，但最后并没有走上红毯。后来，我娶了其他女人、生了孩子；听说她最近也找到了另一半，在北国的城市过着幸福的生活。事到如今，我并不打算吹皱一池春水。我们已经有二十多年没见面，只是想告诉她，我身体很健康。”

既然这样，你完全可以自己写这封信。

虽然这句话已经到了嘴边，但我并没有说出口。他一定有什么难言之隐。

“虽然现在说这种话很难为情，但当时我真的很喜欢她。明明已决定和她共度余生，可是……”

园田先生低下头，没有继续说下去。

小鸟刚才就在门外叽叽喳喳。看它走起路来摇着尾巴，不停拍打地面的样子，猜想应该是鹡鸰。

最近的天空已经有了秋天的味道。山茶文具店也到了差不多该使用火炉的时候，否则太冷了。

园田先生虽然没有表现出心慌意乱的样子，但我在等待他心情恢复平静的这段时间，去后方泡了红茶。上午出门采买时，顺便去长嶋屋买了大福回来，于是放在怀纸上，一起端了出来。

把红茶倒进古色古香的红茶杯后，山茶文具店里弥漫着阳光般的香气。

“不嫌弃的话，请用茶。”

我把红茶和大福端到他面前，祈祷这样能让他心情放松。希望他不讨厌吃甜食。

我也喝着热红茶，吃着自己那份豆大福。包在外头的麻薯还很蓬松柔软。

普通的信。

委托我代笔的信，几乎都是有什么隐情，听到客人委托要写“普通的信”，反而有点紧张。

“要写什么内容呢？有没有特别想要提的事？”

我一边拂去嘴唇上沾到的白色粉末，一边问园田先生。

“虽然我说随便写什么都没关系，听起来有点像是在自暴自弃，但真的只要写一些平淡无奇的内容就好。她很喜欢信。学生时代，我们曾经谈过一段时间的远距离恋爱，她几乎每天都写信给我，但我懒得动笔写信，所以只要偶尔写信给她，她就会乐不可支，然后回一封长长的信，告诉我她有多高兴。有时候也会在信里夹些压花。但是，如果现在我自己写信给她，会觉得有点对不起我太太……”

“我了解了。”

我点了点头，园田先生继续说道：

“而且，我希望是女人的笔迹。”

“女人的笔迹？”

我不懂这句话的意思，忍不住反问。委托代笔的客人若是男性，写字时通常也要比较男性化。园田先生补充道：

“我相信她现在一定很幸福，所以，我绝对不希望破坏她的幸福生活。如果她的先生看到用男性笔迹写给她的私人信件，一定会很在意。尤其是自己不认识的人写信给太太，心情必定会很复杂，如果因为这件事影响了他们的夫妻关系，不是很令人难过吗？”

我深深点了点头。

“幸好我的名字叫‘熏’；园田熏，这是我的本名。

“所以，即使她的先生先看到信，如果是女人的字，再看到园田熏这个名字，就会以为是她以前的同学或女性朋友，也就不会产生不必要的怀疑。樱当然马上就会知道是我写的信。对了，我要寄信的对象，她的名字叫‘樱’。”

“原来是这样，你说得有道理。”

我不由得表示同意。

他并不是想和对方重修旧好，也不是要向对方告白，只是想写一封很普通的信。园田先生喝着有些冷掉的红茶，露出了淡淡的微笑，就像含苞待放的山茶。

“我也想了很多。”

他的笑容真的很温柔。我相信收到园田先生这封普通书信的樱女士也很幸福。

我为他倒第二杯红茶时，听他说了他们之间的回忆和园田先生的日常生活。

最后，请他留下了樱女士目前的住址和姓名。

“她结婚之后，名字变成了‘佐仓樱’。”

园田先生看着自己留下的地址、姓名，笑着说道。我低头一看，便条纸上写着“佐仓樱”，姓氏和名字的发音刚好一样，都是“Sakura”。

住在北国小镇的佐仓樱女士。我不禁对她产生亲切感，好像自己也认识她似的。

园田先生喝完杯中剩下的红茶后，语带迟疑地问：

“我可以把这个带回去吗？”

园田先生细长的手指指着怀纸上的栗子大福。

“我女儿最爱吃了。”

园田先生有自己的生活，那个世界里并没有樱女士；而樱女士也没有选择成为“园田樱”的人生。

喜欢吃和果子的女儿，一定在等园田先生回家。

“请便，请便，我去拿保鲜膜过来。”

我起身准备走到后头。

“这样就可以了。”

园田先生已经摊开怀纸，把大福包了起来。

“费用呢？”

园田先生问。

“随时都可以，改天你来这附近时，顺便绕过来一下就行了。”

我送园田先生离开时回答道。

园田先生刚离开，就有两三个读小学的女生一起走进山茶文具店。最近经常看到这几个女生。

其实园田先生不需要这么大费周章，只要透过网络，就有很多方法可以联络到樱女士。有很多人用这种方式找到了断绝音讯的初恋情人，甚至因此开始交往。

园田先生并没有这么做。我相信樱女士应该也不乐见这种事。

这或许会是封充满体贴的信，充满为了避免双方越线、为了自律，也为了不影响对方的体贴。

接下来的这几天里，我都和园田先生形影不离。

当然不是和真正的园田先生。

从园田先生的温柔、用字遣词，到他的面容和气味，我希望能把他的一切传递给樱女士。书信，就像是寄信人的分身。

园田先生说，他即将住院。他并没有告诉我详细的病名，也说是没有生命危险的疾病——却让他这辈子活到现在，第一次认真思考死亡这件事，于是发现：原来自己还惦记着樱女士。

园田先生直视着我的眼睛说，即使万一不幸失去了生命，他也不希望自己有遗憾。

我猜想是因为他即将动手术，所以心情有点起伏。

园田先生露出腼腆的笑容。

我觉得他说的是实话。无论再小的手术，既然要打麻醉、要用手术刀剖开肚子，就很难保持平常心，也难免会想到最坏的情况。如果没有这种契机，园田先生可能没有机会写信给樱女士。

我在思考园田先生的事时，上代的事突然掠过脑海。

她在晚年也动了手术，但是，我并没有陪伴在她身旁。

就我自己的情况来说，代客写信时，一旦对信件的内容有了大致的概念，就会由决定用什么笔开始，进入实际的作业程序。即使书写的内容相同，用圆珠笔、钢笔或毛笔来写，也会有完全不同的印象。基本上，用铅笔写信很失礼，所以铅笔不列入考虑。

犹豫再三，我决定用玻璃笔写信给樱女士。因为我觉得玻璃笔最能传达园田先生那份纯净温柔的心意，我希望让这封信成为园田先生送给樱女士的小礼物。

难得有机会从上代传承给我的书信盒里，拿出沉睡其中的玻璃笔。玻璃笔呢，是由一整根玻璃制造完成的。

原本以为玻璃笔是欧洲发明的笔记用品，没想到最初是在日本诞生的。明治三十五年（一九〇二年），风铃工匠佐佐木定次郎先生发明了玻璃笔，很快就流传到法国和意大利，广为流行。

笔尖的八根毛细沟槽吸附墨水后，就可以写出文字。虽然不是常用的书写工具，但在关键时刻使用，特别有感觉。而且上代拥有的是一支纤细华美的浅红色玻璃笔，最适合用来写信给樱女士。

至于纸张，考虑到与玻璃笔之间的适合度，我决定搭配表面光滑的信纸。纸面会起毛的纸不适合玻璃笔，像和纸之类的纸当然就更不行了。因为玻璃笔的笔尖很硬，容易钩到纸张表面的纤维。

最后，我挑选了比利时制造的奶油帘纹纸，这是欧洲皇室和名门贵族自古以来的御用纸品。抄纸时所使用的竹帘会在纸上留下细微的凹凸螺纹，宛如涟漪，在白色纸上留下微妙的阴影。用手触摸时，可以感受到如同手抄纸般的温度，温暖而柔和，我认为最适合用来传达园田先生的心意。

尺寸则选用和明信片一样的大小。如果写上好几张信纸，会让樱女士感觉有压力；但如果寄明信片，会让第三者看到内容。我想园田先生的心意应该没有那么轻率。

于是，我决定采取折中的方式，把明信片大小的信纸装在信封里寄出去。如此一来，信的内容就不会被樱女士以外的人看到，也不必担心过度诠释园田先生的心意。

墨水要用深棕色。在听园田先生说话时，深棕色就浮现在脑海，挥之不去。

打开深棕色墨水瓶的盖子，将玻璃笔的笔尖浸入，毛细槽立刻吸附了墨水。前一刻还像冰柱般的透明笔尖立刻被染成了枯叶色。我先在明信片大小的纸张其中一面，用平假名写上收信人的名字“さくら样（Sakura sama）”。

然后，暂时放下玻璃笔，耐心等待墨水变干。

收件人到底要写“佐仓样”，还是“樱样”，或是更正式的“佐仓樱样”？我实际写在纸上研究了很久。虽然“样”是用来表示敬称，汉字的“样”当然是正确的写法，但所有的字都是汉字，感觉很不协调，也可以把“样”这个字写成平假名的“さま（sama）”。

通常只有对自己的晚辈或是地位比自己低的人，才会使用平假名的“さま”，但如果过去曾有过亲密往来，应该不至于失礼；相反地，也许这样更显亲切。

你是否面带笑容地过着每一天？
因为是你，所以想必时常快乐地唱着歌吧！
我一切安好。
最近每个周末，
都带着活泼可爱，已经上小学的女儿一起登山。
以前和你一起爬过很多座山对吧。
一起攀登月山那次，天气十分恶劣，简直就是赌命。
现在回想起来，一切都成为美好的回忆。
我现在很幸福，
如果你也过得很幸福，将是我最大的安慰。
请你多保重自己，
我会在遥远的天空下，为你的幸福祈祷。

草此

我也实际把“佐仓さま”“樱さま”“佐仓樱さま”几种写法写在纸上研究，但使用汉字的“样”，似乎更能表达园田先生端正的态度；同时，我也想表达园田先生的温柔体贴。考虑到整体的协调性，收件人的名字使用了平假名“さくら”。至于“さくら”到底是代表“佐仓”这个姓氏，还是“樱”这个名字，可以由收信人樱女士自由想象，也可以让园田先生的心意更有弹性。

在“さくら样”这几个字完全干透后，我轻轻把纸翻了过来。虽然已经构思好大致的内容，但我并没有打草稿。我想临场发挥；而且，写上两三张信纸未免太不解风情，所以我打算一口气完成可以刚好美美地写在一张纸上的文字量。我认为这样更能表达园田先生的微妙心情。

调整呼吸后，我再度把玻璃笔的笔尖沉入深棕色墨水中，化身为园田先生，在为樱女士的幸福祈祷的同时，写下只言片语。

尖锐的笔尖低语着“嘎嘎”的独特声响，编织出深棕色的话语。

笔尖完全没有卡到纸张表面的螺纹，宛如流畅地在朝阳下的冰面上溜冰。

我不时转动玻璃笔，专心一致地写着。使用玻璃笔时，不必用力也能顺利书写，所以字句很顺利地出现在笔下。

写完“草此”两个字，深棕色的墨水有点干了，所以我又蘸了一次墨，清楚地写下园田先生的名字。

为了避免重要的信沾到水，特地使用具有防水功能的信封。山茶文具店的小仓库里有许多上代和我努力收集来的信纸和信封，我在其中找到了尺寸适宜的涂蜡信封。

信封的纸质强韧耐冲击，里面的信纸一定可以送到樱女士手上。因为担心会碰到雨水，所以我用黑色油性细头马克笔仔细写下收件人的姓名和住址。至于邮票，如果是用黏胶粘贴的邮票，贴在有涂蜡加工的信封上可能会脱落，所以我仔细贴上了贴纸型邮票。

我挑了一张苹果图案的邮票。因为园田先生告诉我，他们过去两小无猜时，曾住在以苹果闻名的城市。

也许他们曾爬上苹果树嬉戏，也可能曾共享一颗苹果。苹果盛产的季节即将来临，若是不了解他们关系的人，即使看了，也不会发现其中隐藏了特别的意义。

最后，我用指尖蘸了些蜂蜜涂在信封封口上黏合。为了避免粘不牢，上面再用贴纸加强；虽说是贴纸，但其实是我在国外流浪时一点一点收集来的外国邮票。

完成所有作业后，我用化妆棉擦拭了残留在玻璃笔笔尖的墨水。因为无法将所有的墨水都拭去，于是再用自来水冲洗干净。

深棕色很快就被水冲走，笔尖再度恢复了宛如冰柱般的透明。玻璃笔很容易因为轻微的撞击而破损，所以我用纱布手帕仔细包好后，再轻轻放回书信盒内。

中世纪时，曾将情书称为“艳书”。园田先生寄给樱女士的信算是艳书吗？这封信乍看之下虽然只是普通的信，但字里行间充满了园田先生的心意。这一滴鲜红，一定可以渗进樱女士的心里。

如果可以协助他人传达这份淡淡的思念，我乐此不疲。

台风好不容易离开了，下一个台风又接踵而来。

这次的台风直扑关东，为了安全起见，山茶文具店早上就贴了“临时歇业”的通知。

不时刮起几乎把人吹倒的强风，雨也越下越大。即使勉强开店，也不会有热衷文具的客人特地冒着暴风雨跑来买文具。

虽然我这么以为，但没想到真的有客人上门。起初还因为风声的关系，没听到敲门的声音。

“不好意思，请问有人在吗？”

在风短暂停止时，从外头传来女人的说话声。当时我正在过去上代用来当成卧室的二楼和室里整理壁橱。我从窗户探头向外张望，发现一名浑身湿透的女子站在门口。

“有什么事吗？”

我在二楼大声问道。

“拜托你！我想请你帮忙。”

那女子全神贯注地看着我说。

她的衣服、脸庞、头发，全身上下湿得像落汤鸡。也许她不知道台风来袭，跑来这里观光，正在找躲雨的地方。

我已经贴了“临时歇业”的字条，竟然还来敲门，真伤脑筋，但既然已经和她说了话，就不好意思将她拒于门外。不如借一条毛巾给她，让她待在店里，等雨小之后再离开。

我下了楼梯，走去文具店，发现她不知所措地站在玻璃门外。我用胶带贴的那张临时休息的纸被风不知道吹去哪里了。这样的话，有客人上门也无可厚非了。

一打开锁、拉开玻璃门，大颗的雨滴便呼啸着冲了进来。虽然还不了解状况，但还是先请她进来再说。如果她继续站在雨中，恐怕会感冒。

我正准备去后头拿浴巾给她擦拭身体时，她用颤抖的声音对我说：

“我把不该寄出的信丢进那个邮筒了。”

我转头看着她，她眼眶里含着泪，继续说道，

“我寄出去之后，才发现还是不应该寄这封信，但已经来不及了……所以我一直等邮差来收信，但可能因为台风的关系，邮差没有按时来收信……”

这名三十出头的女子说到这里，几乎快哭出来了。她的身材很好，让人很难不注意。而且因为淋了雨的关系，看起来格外性感。

“但是，那里的邮筒……”

我平时尽可能避免把信投进那个邮筒。那是有点像传统扑满

的红色邮筒，外表虽然很可爱，但每天只有上午和下午来收两次信而已，感觉很不可靠，所以除非是不重要的公务信件，否则我不会把信投进那个邮筒。尤其是受人委托的代笔信件，我都会特地去车站前的镰仓邮局寄信。上代也曾叮咛我，说这样对方不但能比较早收到，而且也能确实收到。

那个女人频频回头看向邮筒，然后看着自己的手表。

“没时间了，我要走了……”

她用泪眼露出求助的眼神说道。

“所以，可不可以拜托你？我知道我们素昧平生，我这样拜托你很失礼，但可不可以请你帮我把误投进邮筒的信拿回来？”

她一口气说完，对着我恳求，好像随时会在我的面前下跪。

不知道她投进邮筒的那封信里是否写了很丢脸的内容，不过我能够理解发生这种情况时的心情。有时在吵架后，意气用事地写了分手信，一旦冷静下来、心情平复后，便觉得还是不想分手。或者虽然是工作上的信，但后来才发现忘了写重要的事，吓得脸色发白。总之，会有各种不同的情况造成这样的结果。眼前这名女子的眼神很严肃。

不过，其实她不必这么紧张。因为即使真的把信寄出，也可以通过正常渠道回收信件。这种事情虽然不会经常发生，但绝对有可能，所以邮局也不会那么不近人情，不至于发生“一信寄出，驷马难追”的情况。

以这次的情况来看，她寄的信可能还在邮筒里。既然这样，要收回这封信并不是太困难的事。

“好啊，反正这种天气，我也闲着没事。”

我尽可能慢条斯理地说，希望她能够放心。老人家常说，虽然只是擦身而过，也是前世累积的缘分。而且，对她来说是人生的重大事件，对我却只是举手之劳。因为那个邮筒就在山茶文具店门口。

我从抽屉中拿出便条纸和笔给她，请她写下名字和联络方式。同时也问了她想拿回来的那封信的寄件人和收件人姓名；为了保险起见，还问了信封的特征。

写完之后，她似乎稍微松了一口气，断断续续告诉我事情的来龙去脉。

“我爸爸病危，所以叫我马上回家。我如果不赶去搭傍晚的班机就来不及了。”

班机是否会受到台风的影响，无法正常起飞？这个想法掠过心头，但我没有说出口，而是看着她的眼睛，明确地告诉她：

“你放心吧，信一定可以拿回来。”

刚才她在便条纸上留的姓名是“楠帆子”。乍看之下，还以为不是日本人的名字，“楠”这个字的发音是“Kusunoki”吗？总之，她面对必须分秒必争的紧急状况，不能继续在这里逗留，于是我催她赶快离开。她再度冲进暴风雨里，一路奔跑着，溅起无数水花。

我一直坐在二楼窗边看着窗外，以免错过来收信的邮差。

雨好像发狂似的越下越大，就连平时很少摇晃的山茶树枝，也像弹簧般东倒西歪，发出咻咻咻的声音。遇上这么大的台风，芭芭拉夫人刚好不在家，算是不幸中的大幸。她和男朋友正在欧洲旅行。

傍晚的时候，雨终于停了。打开窗户，眼前是一片从来没有见过的傍晚天空，粉红色和黑色形成的可怕渐层色，好像在预告世界到今天为止。

冰冷空气笼罩周围，天空虽然可怕，却又很美。

这时，一辆红色机车迎面驶来。

我奔下楼梯，直接冲出门外，以参加运动会短跑的速度冲向邮筒。

在奔跑的同时，大声叫住了邮差。

“请等一下！”

我用力喘着气，总算向邮差说明了情况。我怕节外生枝，便说那封信是自己写、自己寄的。

幸好邮差很通情达理，而且邮筒内只有帆子小姐的那封信，所以马上就还给我了。

我接过那封信，收件人是男性的名字。不知道是否在寄信时被雨滴到了，信封上用水性圆珠笔写的字，有些地方洇开了。

帆子小姐知道我是代笔人，所以才会冲进山茶文具店吗？还是她并不知道这件事，只是刚好这家文具店也同时做和书信有关的生意？

她写在信封背面的寄件人地址是在逗子。既然她住在逗子，为什么在这种台风天特地跑来镰仓寄信？

虽然有太多疑问，但她无论如何都不想让对方收到、不想让对方看到的信，目前就在我的手上。我想赶快通知她这件事。

红蜻蜓在雨后迎来黄昏的天空中飞舞，薄如玻璃的翅膀在夕阳下闪着光。

我将放在文冢前、被风吹倒的白色杯子捡了起来，仔细洗掉泥土和树叶，装满干净的水，再放回原来的位置后，双手合掌。

偶然一望，看到庭院角落红色与白色的彼岸花竞相绽放。

台风直扑镰仓的五天后，芭芭拉夫人结束了漫长的海外旅行回家了。

“波波，我回来了。”

午后稍晚，芭芭拉夫人走进山茶文具店。

“我刚回到家。”

“欢迎回家！”

好久没有听到芭芭拉夫人的声音，我忍不住开心到想当场跳起来。

“旅行愉快吗？”

芭芭拉夫人白皙的皮肤似乎有点晒黑了。

“太棒了，我们从巴黎一直到摩洛哥哦。那里真的太美了，让人忍不住想直接住下来。”

“是吗？那真是太好了。”

光是看芭芭拉夫人的表情，就知道是一趟很棒的旅行。

“波波，给你，这是伴手礼。”

她把一只装在朴素纸袋里、像是瓶子的东西交给我。

“这是摩洛哥的坚果油和玫瑰水。听说摩洛哥坚果油拌沙拉很好吃，玫瑰水可以搽在脸上。”

“太开心了。”

我的化妆水刚好快用完了。

“听说摩洛哥坚果油使用的坚果，全世界只有摩洛哥才有，所以非常珍贵。”

我打开瓶盖嗅闻味道，闻到了仿佛芝麻油般的芳香。

“听说也可以直接搽在皮肤上。”

“谢谢你。”

我再度道谢，这时，帆子小姐突然走进店里。

起初我并没有认出是帆子小姐，但看到她丰满的胸部，立刻想起是她。

“哎哟，胖蒂。”

芭芭拉夫人抢先一步，向她打了招呼。

胖蒂？是代表女性内裤的“panties”吗？我脑海中浮现了一个大问号，但被称为“胖蒂”的帆子小姐一副事不关己的态度。芭芭拉夫人和帆子小姐似乎是旧识。

“我在前面那所小学当老师，因为我叫帆子（Hanko），又是老师（teacher），所以大家一开始叫我‘帆蒂’（Han-te），没想到不知不觉变成了‘胖蒂’（Pan-te），真是太丢脸了；不过我很喜欢烤面包，所以被当成代表面包的‘胖’（pan），也就觉得没关系。但不知道其中原因的人，听了应该真的会吓一跳。”

帆子小姐似乎从我的表情中察觉到什么，一派轻松地向我说明。难怪她穿着运动服。我终于恍然大悟。从山茶文具店走到她任职的小学只要几分钟，难怪她认识芭芭拉夫人。

“之前真的太感谢了，你真的帮了我一个大忙。”

她近乎夸张地深深地向我鞠了个躬。

“不不不，没帮什么……”

我反而诚惶诚恐起来。我当天就传了短信到她留下的手机号码，通知她信已经顺利取回。

我从专门放置重要物品的上锁抽屉里拿出那封信，以防万一，我还装在专门放贵重物品的袋子里，用黏胶封了起来。

“在这里。”

我连同贵重物品袋交给帆子小姐。

站着说话太累了，我拿出两张原本叠在一起的圆椅凳，请帆子小姐和芭芭拉夫人坐下。姑且不谈信的事，我很关心帆子小姐父亲的情况。

“所以，令尊……”

虽然我不知道该不该问，但还是开了口。

“我没赶上为他送终。因为受到台风影响，班机延误了，但他临终时很安详。为他举办葬礼后，又留在老家陪了我妈一阵子，昨天才回来。啊，这是送你的礼物，谢谢你帮忙。”

帆子小姐从手上的纸袋里拿出一包东西。

“是面包吗？”

店内已飘散着诱人的香味。

“每次心情有点沮丧时，我都会揉面团激励自己。因为烤面包的时候，我就能变得专心投入。”

“胖蒂的面包是全世界最好吃的面包。”

始终默默听着我们聊天的芭芭拉夫人突然开口。

“没想到我在国外游山玩水时，你受苦了。”

芭芭拉夫人的话中充满对帆子小姐的关怀之意。

“但是……”

如果我能更早发现帆子小姐、自告奋勇代替她等邮差，也许她就可以提前搭机回老家。我为这件事感到后悔不已。

不知道帆子小姐是否察觉了我的想法。

“没关系，既然没住在一起，之前就多少做好了可能无法见到父母最后一面的心理准备。对我来说，那封信没有寄到对方手上更重要。”

她感慨甚深地看着放在腿上的贵重物品袋说道。

“听到我爸爸病危，我心慌意乱，很想让他看到我穿婚纱的样子，于是就写信答应了一位其实我并不喜欢的对象的求婚。但是，当我回过神来，惊觉即使自己这么做，我爸爸也不会高兴。”

帆子小姐提到她的父亲，眼中泛着泪光，但她并没有让眼泪流下来。

“我去拿我带回来的点心。”

大家都陷入沉默时，芭芭拉夫人站了起来。

“对不起，我让气氛变得这么感伤。”

帆子小姐眨着眼睛，努力用开朗的声音说。

“我去倒茶。帆子小姐，你喝红茶要加糖和牛奶吗？啊，你时间没问题吧？”

我突然想到这件事，向帆子小姐确认。她也许还没下班。

“我的课上完了，不必在意时间；而且你叫我胖蒂就好，学生也都这么叫我。”

“那你也可以叫我波波，我的本名是鸠子。”

“以后请多关照。”

“彼此彼此。”

我在后面泡红茶时，芭芭拉夫人拿着漂亮的盒子回来了。

“这是我在巴黎机场买的，机会难得，大家一起吃。”

“马卡龙吗？”

盒子里排放着五彩缤纷的漂亮圆形点心。

“Ladurée的马卡龙很好吃。”

听着芭芭拉夫人悠然自得的说话声，我拿着刚泡好的红茶茶壶走出来，在茶杯里倒了满满的茶。

“请挑选自己喜欢的吧。”

听芭芭拉夫人这样说，我挑了最右边鲜黄色的马卡龙。虽然不知道是什么口味，但清爽的柑橘系奶油内馅在嘴里扩散。这是我这辈子第一次吃到Ladurée的马卡龙。

“吃几个都不会腻。”

前一刻还眼泪汪汪的胖蒂也是，吃着淡茶色的马卡龙，脸上露出开心的表情。芭芭拉夫人和浅浅的粉橘色马卡龙很相配。

春多食苦、夏多食酸、秋多食辣、冬多食油

上代所写的标语至今仍然贴在厨房的墙壁上。写在月历背面的标语贴了多年，原本白色的纸早已褪色，溅到的油渍也宛如流星般留在上头。

虽然好几次都想丢掉，但每次伸手要撕下，却又忍不住犹豫起来，所以到现在还留在那里。

上代留下的绝不是只有废纸而已。

有一天，我在整理上代卧室的壁橱时发现很多纸箱。随手打开一看，里面有很多以前的文具，几乎都是未使用的库存品，除了日本的商品以外，也有外国的文具。

木尺、美国产的胶带切割器、金属制三角板、罐装糨糊、铅笔刀、剪刀、标签贴纸、修正液、削铅笔器、夹子、便条本、笔记本、订书机、签字笔、荧光笔、色铅笔、蜡笔、稿纸。当然，还有很多铅笔。

虽然事到如今已无从得知，这些东西为什么会放在那里，但很多文具仍然可以使用；而且这种古色古香的设计，看起来反而很新鲜。

我仔细调查了每件商品的制造商和生产国，发现有些公司已经消失不见了，有些商品也已经停产，但是，几乎所有的商品都是一流公司生产的。

既然挖出了这些宝物，当然没有理由不拿出来卖。

我立刻整理了山茶文具店的货架，腾出空间陈列这些商品。之前的商品排得很松散，即使增加了这些东西，也不会感觉很拥挤。新陈列的库存都附上手写卡片加以说明，旧打字机和地球仪这些无法出售的古董文具，就放在店里当成装饰。不知道是否因为陈列了这些旧文具的关系，山茶文具店稍微有了一点成熟的味道。

时间进入十月，我正为了防止虫蛀、发霉，而把塑料布铺在店门口晒旧笔记本时，背后突然有人对我说话。

“喂，喂。”

回头一看，男爵站在我身后。虽然我不了解他的身份，但这名身材魁梧的男子总是穿着和服在附近出没。我从来没和他说过话，却经常看到他在咖啡店喝咖啡看报纸，头上也一定戴着插了羽毛等装饰的潇洒帽子，这一带的人都称他为“男爵”。

“你帮我回信给这家伙。”

男爵从和服袖子里拿出信，粗鲁地在我的面前甩着信说道。

“请问您要委托代笔吗？”

为了怕自己误会，我向他确认。

“不然找你干吗？”

他盛气凌人，用不悦的语气大声说着。总之，我先从他手上接过那封信再说。

有时会有人上门委托为他们写回信，假如对方是知心好友，即使暂时不回信也无妨。但如果收到恩师或长辈的信，而且对方的信写得很正式，文笔又很好时，往往不知道该怎么写回信；若是平时很少写信的人，更不知道该怎么落笔。时间越久，就对迟迟无法回信一事产生罪恶感，最后只好找人代笔。

但是，男爵的情况似乎不太一样。

“我死也不会借钱给这种货色！不过我也不想招惹他，你想办法帮我拒绝，事成后再付报酬，你觉得怎样？”

他自顾自滔滔不绝地说着。男爵一口气说完自己想说的话后，没把信带走便转身离开。

这个人还真是性急。委托代笔的客人上门时，我都会请对方喝杯饮料，但男爵甚至没有踏进山茶文具店就离开了。

艳阳高照，我把笔记本留在门口，走进店里，看了写给男爵的那封信。内容的确是打算向他借钱，但信中有很多错字和漏字，而且还拐弯抹角地以恩人的态度自居。

（我死也不会借钱给这种货色！）

我不得不同意男爵斩钉截铁所说的这句话。如果我收到同样的信，也不会想借钱帮助对方。

晚上，我去本觉寺后方的福屋吃山形县的乡土料理，以转换心情。那是一家只有吧台的小店，无论什么时候去，都挤满了本地的顾客。虽然有点提心吊胆，很怕会遇到了解我不堪往事的熟人，幸好到目前为止，从来没有遇到过。

我坐在靠里头的座位喝着冰清酒，点了蒟蒻球当下酒菜，最后再吃那家餐厅有名的小芋咖喱荞麦面当收尾时，回信的第一句话突然浮现在脑海。在步行回到家之前，几乎已想好了所有内容，我很想赶快拿纸记录下来，以免不小心忘了。

一回到家，立刻冲澡，泡很浓的绿茶醒酒，随即坐在工作桌前。写谢绝信时，写信人的气势也很重要。有些信需要打草稿、多次修改，但有时候也会像这样一气呵成。

根据我对男爵的印象，我觉得比起毛笔，粗尖钢笔更适合，于是这次选用了万宝龙的钢笔；墨色，使用漆黑色；信纸，则选用不久前才从壁橱中“出土”的“满寿屋”稿纸。

我没有打草稿，直接在稿纸上写了起来。

不愧是满寿屋的稿纸，书写的手感超顺。

据说这是以各种墨水进行测试，再经过多次改良后研发出来的稿纸。

而且，和万宝龙被称为杰作的“大师杰作系列149”简直就是绝配。在第二次世界大战前推出的这一款钢笔笔杆很粗，最适合写出灌注了力量的男性化笔迹。

来信已拜读

我也捉襟见肘，所以无钱可借

听我一句，去向别人借

虽然没钱借你，但请你吃饭

不成问题

如果肚子饿得受不了

来镰仓找我

想吃什么，我让你吃到撑

天气变冷了，多保重

加油喽

哈哈

文章完美地出现在四百字的稿纸中央。我在正文后空了一行，写上日期，在下面写了男爵的名字，下一行再写上对方的名字，并在左下方写了很小的“案下”以示敬意。虽然写不写都无妨，但为了表达男爵的气魄，还是决定写上去。最后的“哈哈”是张大嘴巴放声大笑的意思。

考虑到和纸张之间的搭配，信封上的地址和收件人姓名不是用钢笔，而是用毛笔写的。此外，为了表达敬意，“样”这个字也没有用简写的。在收件人的姓名下方也写了小上几号的“案下”以示尊敬。凭着我对男爵的印象，用几乎快超出信封的大字写得很有气势。

信封上的邮票使用了金刚力士像的图案，代表严正拒绝之意。虽然金刚力士像的邮票一张就要五百元，但为了表达男爵绝对不愿借钱的坚强意志，花这点钱应该值得。如果贴一张印象柔和的邮票，对方搞不好会再度上门借钱。

和往常一样，我没有粘起信封，放在佛坛上的特等席一整晚。

隔天早晨，再度斟酌信的内容后，才粘起信封。糊好封口后，在上面盖了刻有“吾唯知足”这句禅语的木版章，终于大功告成。

吾唯知足。

这句话劝人认清自我、知足常乐。虽然那封借钱信上并没有明确提到把钱花光的原因，但我决定把这句话作为男爵送给他的赠语。

接下来就静待结果了。

日文书信开头写的“拜启”这两个字，是“带着恭谦的态度向您报告”的意思。以这两个字开头的信，要用“敬具”结尾，也就是代表“以恭谨的心向您报告以上这些事”。

如果要表达更恭敬的礼节，就要以“谨启”为开头，以“敬白”来结尾。总而言之，这就像行礼一样。行礼可分为真、行、草不同等级，书信的起首和结尾，也要配合不同的礼仪程度，使用不同的起首语和结语。

但是，在书信中若用汉文开头，又以汉文结尾，会让人感觉太严肃，所以女性可以在起首用结合平假名的方式写“容我写信叨扰”，并以“顿首”或是“草草顿首”为结尾。“顿首”表示“顿首再拜”，也就是“行笔至此，恕我失礼”之意。

写回信时，“敬悉尊函”或是“欣悉惠书”，也能够发挥起首语的作用，通常也都用“顿首”或是“草草顿首”为结尾。

“草草”是“粗率、简陋、简略”之意，带有“姑且容我就此搁笔”的意思。女性写信时，无论使用什么起首语，都要用“顿首”或是“草草顿首”为结尾。

如果省略时令问候语，直接进入主题的话，则要写“前略”。如果是女性写信，则可以用“恕我省略寒暄”“容我省略应酬语”等稍微温和的方式表达，增加温柔的印象。

以“前略”作为起首语时，要用“不一”为结尾，代表“言犹未尽”之意。为自己的字迹潦草道歉时，可以用“匆匆”结束。“前略”有点像我们在遇到很熟识的朋友，轻松打招呼时说的“嘿”或“哟”。

有关书信的繁复规矩，通常都集中在起首和结尾两大部分。

正文的部分，对于对方的称谓和对方家属的敬称，都要做到“抬举对方”。当对方的名字来到行末时，可以稍加调整，在名字前空一格、换行再写，好让对方的名字出现在行首。相反地，提到“我”和自己的家人时要谦逊，应尽可能出现在行末。

话虽如此，但这些只是基本的规定……

如果太在意这些规定，书信内容就会变得拘谨僵硬、生硬呆板。写信就像人际往来，只要尊敬对方、体贴对方、注重礼节，就会自然而然呈现这样的结果。就结论来说，书信没有所谓的正确或错误。

我以前担任上代的助理时，从来不曾有人上门委托商务信件。

但是，现代人连写这种简单的信件都觉得麻烦。

“信笺”这个词本身也渐渐遭到淘汰，已经进入社会工作，却连一封信都从没写过的人并不在少数。在当今这个时代，只要用电子邮件就可以搞定很多事。

十月第一个星期一早晨，我一打开店门，一名身穿西装的年轻男子便冲进店内。看他的样子，应该比我年轻。如果他想上门推销文具，我会拒绝他，但他似乎不像是推销员。

“请你不要告诉别人，我曾经来过这里。”

他递上名片的同时，最先说出的就是这句话。我不经意地看了一眼名片，发现上面印着一家无人不晓的大出版社名字。他说话彬彬有礼、打扮得干干净净，长相也很斯文，但有一种肤浅的感觉。

我默然不语，等待他的下文。

“总而言之，我想向一位评论家邀稿。”

我猜他一定是某所知名大学的毕业生，但为什么我会有刚才那种格格不入的感觉？我拼命压抑住在自己内心萌芽的坏心眼。

为了让自己保持冷静，我起身去烧开水。这时，他一直在滑手机。

虽然只要泡最便宜的粗茶就好，但粗茶的茶叶刚好用完了，只好泡较贵的玉露茶。我用托盘端茶来到店堂时，他仍然没有抬头。

“请喝。”

我把茶杯放在平时很少使用的茶托上，再递到他面前，他才终于抬起头。

“请问有何贵干？”

他还没有明确委托我。

“所以我在想，能不能请你帮我写一封邀稿信，因为公司的前辈告诉我，这里承接代笔业务。”

他完全没有不好意思的感觉，平静地提出要求。

“总而言之，信件内容力求简单，要在信上明确写清楚我方的意图和条件，大致就是这样的感觉，可不可以麻烦你？”

他在说话时，把iPhone屏幕转向我，向我出示了画面。上面写了类似邀稿信草稿的内容。

“既然已经写好了，这样不就没问题了吗？”

我敷衍地回答。

“不，这样不行。我原本也觉得这样就行了，所以只是把对方的名字换上来，但被上司退回，说这样感受不到诚意。”

他一副事不关己的样子。

“诚意？把自己的想法直接写下来不就好了吗？”

我很不以为然地说。上代要是遇到这种人，应该早就把他赶出去了。我也很想像以前的人赶走不速之客那样，把扫把倒放在玄关赶人。

“总而言之，我自己没办法写。”

听到他连续说了三次，我终于忍无可忍了。

“你从刚才就一直在说什么‘总而言之’‘总而言之’，请你仔细说清楚，你到底想说什么！”

我的语气咄咄逼人，话中带刺，但我已无法再克制自己的情绪。不是我在自夸，想当初我也是当过太妹的。

“你不是编辑吗？就算学艺未精，但编辑就是编辑，说话用词不要这么贫乏。而且，你不是因为很希望对方能帮自己写稿，才会向对方邀稿吗？连情书都不会写，根本不适合当编辑，我看你趁早辞职，改去牛郎店上班算了！”

虽然我知道自己说话牛头不对马嘴，但事到如今，已经无法刹车了。我的不良少女魂终于大爆炸。

“没错，我的确为人代笔，只要有客人上门委托，什么都可以写；但这是为了帮助有困难的人，因为我希望客人能够得到幸福。可是你只是想偷懒而已。你有真诚对待对方吗？虽然代笔这门生意在这个时代很落伍，但可别小看了这一行。对啦，你或许是这样长大成人的没错，不过这个社会可没这么好混！这种邀稿信，你自己去写！”

不管怎么说，他都是上门委托工作的客人，但我竟然对他说这么过分的话。只不过，我再也无法忍受他了。

在日文中，“手纸”代表信的意思，但中文的“手纸”是卫生纸的意思。他想委托我的内容根本不是信，而是卫生纸，我觉得他简直就是在叫我帮他擦脏屁股，真是太令人生气了。

“我告辞了。”

他起身行了一礼，走出了山茶文具店。然而用这种态度接待客人的我，正是一个失格的大人。

十月最后一个周末下着雨，台风好像又来了。今年的台风已经多到让人害怕，但低气压仍然笼罩整个日本列岛。

几天前，鱼福老板娘来到山茶文具店。

“波波，你可不可以代我去看这个？我很久之前买了票，一直很期待，但我要照顾孙子，没办法出门。”

老板娘从围裙口袋里拿出一张纸对我说。原来是一张落语表演的门票。

“是星期六晚上，如果你有空，我想拜托你。就当作鱼阿姨送你的礼物。”

她很可爱，仍像以前一样自称“鱼阿姨”。

之前看到这场落语演出的海报时，发现是一名年轻顶尖落语家的独演会，不由得有点动心。虽然我对落语并不精通，当然也不讨厌；但只在电视上看过，从没有看过现场表演。

“那我付你门票的钱。”

虽然我说了好几次，但最后还是敌不过鱼阿姨——也就是鱼福老板娘的坚持，接受了她送我的票，正因为是她送我的票，所以一定要出门去看。

虽然并没有降下倾盆大雨，但我还是穿上雨靴和雨衣出门。如果是从山茶文具店慢慢走到材木座的光明寺，要将近一小时。我不想太赶，所以提前出了门，一路逛过去。

我在开演前五分钟抵达会场。

在光明寺所供奉的主佛——阿弥陀如来的神像前，用贴有金箔的屏风和台子搭成高座，落语师就坐在上面说落语。宽敞的本堂内挤满了大人、小孩，男女老幼都一脸认真的表情，听得出神。

独演会结束后走出光明寺时，雨已经停了。

当我走出被称为“镰仓最大的”山门时，身后传来叫声，但我想应该是自己听错了，所以并没有回头。没想到叫声越来越大，最后，竟有人拍着我的肩膀。

我惊讶地转头一看，发现男爵站在身后。男爵把塞在耳朵里的一个耳机拿了下来。

“我从刚才就一直叫你，不要不理人嘛。”

他用一贯的自大态度向我抱怨。

“不好意思，我没听到。”

我没想到男爵会叫我。他的耳机传出爵士乐，萨克斯风沉静而温柔的音色隐约流入夜晚的寂静中。

“您来听落语吗？”

“不然这种日子，来这里干吗？”

我们的脚下有一个大水洼。

“抱歉。”

我觉得他好像在骂我，所以再度道歉。

男爵就这样跟在我的身后，我只好和他一起并肩走在夜晚的街道上。他到底想跟着我到哪里？虽然我心里这么想，但还是不动声色，一脸若无其事的样子，因为即使我对他说“今天的落语会真不错”，我们也不可能有话可以继续聊下去。

“鸠子，等一下有空吗？”

男爵突然开口问。为什么男爵知道我的名字？而且竟然问我有没有空？看到我说不出话的样子，男爵又说：

“上次的那个，你不是帮我写得很不错吗？”

男爵冷冷地说。

“谢谢。”

虽然我很在意结果，却没有方法确认。现在听到这个消息，终于可以放下肩上的担子了。

“当初说好事成之后再付报酬，你想吃什么尽管说，我请客。”

男爵粗犷的声音响彻雨后的夜晚街道。我和男爵背对着材木座海岸，正沿着大马路走向车站。

虽然我更希望他付我钱，但面对男爵，我不敢提出任性的要求。如果我说给我钱比较好，他一定会反击，所以决定听从男爵的安排。而且仔细想一想，与其收了钱去吃美食，不如一开始就让他请我吃大餐，而且搞不好后者赚更多。我黑心地盘算起来。

男爵的木屐咔嗒咔嗒地踩着被雨淋湿的地面。不知道是不是下雨的关系，虽然是周末，但街上的人和车都很少。

“我想吃鳗鱼。”

其实我脑海中马上浮现了“鳗鱼”这两个字，但我故意停顿片刻，假装想了一下。而且如果我回答“随便”，男爵一定又会生气。

“鳗鱼吗？好，没问题，跟我来。”

男爵一脸得意，连鼻孔也张得很大，比刚刚更飒爽地大步往前。

男爵身上的和服外褂被风吹得鼓了起来。我拼命快步紧追在后，以免跟不上他。和男爵的木屐声相比，我这双橡胶底雨靴所发出的啪嗒啪嗒声毫无趣味。

男爵带我来到位于由比之滨大道旁的一家鳗鱼老店“鹤屋”。我当然知道这家名店，不过最近一次造访是念高中时上代带我来的，至少有十年以上不曾再踏进这家餐厅的大门；不，正确来说，是我无法踏进这家餐厅。

还没走进餐厅，周围的空气已经飘着香喷喷的味道，咸中带甜的酱汁味道仿佛紧紧拥抱那幢细长形的大楼。我跟在男爵的身后，从样品柜旁的磨砂玻璃门走进店内。

“欢迎光临！”

男爵似乎是这里的老主顾，看到老板从厨房探出头，他立刻举起一只手打招呼。

“老样子，但要两人份。”

他只交代了这一句，便转身走出了餐厅。

“只吃鳗鱼太无趣了，我们先去吃点开胃菜，这主意不错吧？”

说着，他过了马路，走进对面一家有落地窗的意大利餐厅。他在吧台前坐下，仍然没看菜单，就直接点了菜。

男爵点了雪莉酒，我觉得有点冷，所以点了西班牙红酒。面包和切片生火腿很快就送了上来。伊比利亚生火腿和在我们面前的石窑中加热过的面包，装在有如小型平底锅般的容器里，送到我们的面前。

“吃太饱会吃不下鳗鱼，所以只吃火腿就好。”

虽然我也很想尝尝面包，但还是乖乖听从男爵的命令。

“好吃。”

我情不自禁露出了笑容。

“很不错吧？”

火腿的油脂就像雪花般在舌尖上融化。

男爵并没有用叉子，而是直接用手抓起生火腿送进嘴里。转头一看，发现他的酒杯竟瞬间空了。他可能也是这家餐厅的老主顾吧，没说半句话，服务生便主动又为他倒了一杯白酒。

因为我喝了红酒，再加上坐在炉边，身体渐渐暖和起来。我把手放在脸颊降温时，沙拉送了上来。

这是一道蟹膏酱佐意式温沙拉，炸丁香鱼也几乎在同时送了上来。男爵豪迈地为我挤了柠檬汁。

“趁热吃。”

虽然他说话很不客气，但似乎有其体贴的一面。

我听从他的建议，把刚炸好的丁香鱼送进嘴里，满嘴都是海洋的味道。我吃着温沙拉里的蔬菜，为快要烫伤的嘴巴降温。蟹膏酱很浓郁。

“光吃这些就快饱了。”

我一边咀嚼着一边说道。

“笨蛋！”

男爵大喝一声。

“重头戏还没登场，你不要吃太多了。如果吃不完，可以打包带回去。”

虽然男爵这么说，但两道菜都是趁热吃比较好吃，所以我没理会他，继续吃了起来。肚子真的有点饱了。

走进这家餐厅约三十分钟时，男爵瞥了一眼手表确认时间，立刻付钱结了账，然后再度横过由比之滨大道，走进鹤屋。

这次他点了啤酒，边喝边等鳗鱼烤好。餐厅主动送上小菜。仔细一看，里面有很多肝脏。

“卤鳗鱼肝啊，这个配啤酒很搭。”

这道菜可能是男爵的最爱，他眯起眼睛，看起来心情非常好。

男爵在我的杯中倒了啤酒，我也打算在他的杯中倒啤酒时——

“你又不是女佣，不必为我倒酒。”

又挨骂了，我忍不住有点垂头丧气。男爵似乎发现了，用略微温柔的声音接着说：

“啤酒要自己倒才好喝，要是你这种乳臭未干的黄毛丫头帮我倒酒的话，连啤酒都会有乳臭味。”

他说话的语气，好像在训斥不懂事的小孩子似的。男爵在很多事情上都有自己的一套规矩，所以并不好相处。反正我不管做什么事都会挨骂，干脆豁出去，塞了满嘴的鳗鱼肝。

姜丝配上用酱油卤得很入味的鳗鱼肝，发挥了提味效果，让人忍不住一口接着一口。有些鱼肝结成了冻，更加刺激食欲。

“幸好你没有像你阿嬷。她滴酒不沾对吧？”

男爵突然幽幽说道。

“您认识上代吗？”

虽然我想很有这种可能，但还是向男爵确认。

“当然认识啊，人只要活得够久，就会有很多故事。而且，当年我还帮你换过尿布呢。”

男爵吃着最后一块鳗鱼肝说道。

“真的吗？”

上代从来没跟我提过这些事。我好像看到了连自己也不认识的自己，觉得有点害羞。如果男爵说的话属实，我得好好感谢他才行。

“我家里那个认识你阿嬷，当时我儿子刚好出生，所以就分了母乳给你。”

“原来是这样，真是太感谢了。”

男爵口中“我家里那个”应该是指他太太。

“你小时候还真爱哭。”

男爵大概也是一喝酒就容易脸红的体质，脸颊泛着红晕。我几乎没听过有关自己小时候的事，所以即使再微不足道，都觉得很新鲜。

这时，老板娘用托盘端着鳗鱼饭走了过来。

“让两位久等了，这是两代同堂。”

两代同堂?

鳗鱼饭装在镰仓雕的漂亮漆盒内。我迫不及待打开盖子，让人感到无比幸福的香气飘了出来。久违的鳗鱼让全身细胞都发出欢喜的呐喊。

鳗鱼表面烤得香脆，里头湿润多汁。

浓淡适中的酱汁完美地包覆着鳗鱼，白饭煮得偏硬，少许酱汁渗进白饭，吃起来特别香。而且，除了最上层有鳗鱼，饭里面还藏了另一块鳗鱼。

“喏，这是不是两代同堂？”

男爵得意地说，他的嘴角沾到了饭粒。

“我第一次吃。”

我对他实话实说。

“正式名称是双层鳗鱼饭，但我都叫它‘两代同堂’。偶尔也要这样奢侈一下。”

男爵终于发现自己脸上沾到了饭粒，把饭粒放进嘴里时说道。

“上代最爱吃鳗鱼。”

我在说话时，静静回想起上代的面容。

小学入学，过七五三节，还有顺利考上高中，每当人生迈入下一个阶段时，我们都会来鹤屋庆祝。上代平时很少外食，这是她唯一带我来过的餐厅。当年她也曾在这家餐厅的二楼和室里，一边吃着最便宜的鳗鱼饭，一边建议寿司子姨婆离婚。

我和她最后一次来这里时，吃着吃着发生了口角，我一个人先离开了。镰仓雕的漆盒里还剩下将近一半的鳗鱼饭。

那次之后，我便未踏进过这家店，甚至没再吃过鳗鱼饭。

“怎么了？好吃到喜极而泣了吗？”

男爵从层层和服衣领间拿出手帕递给我。

“不好意思。”

我哽咽着向他道谢，接过了手帕。麻质手帕熨得平整。

“不管是鼻涕还是眼泪，统统擦干净，心情爽快之后，继续吃鳗鱼。”

虽然他说话的语气很粗暴，但充满了男爵的温柔。

“鸠子，反正这条手帕我用不到，就送你吧。”

男爵再度叫着我的名字。

“波波，波波，鸽子波波，想吃豆子吗？那就来吃啊——

“差不多哭完了吧？别人会以为我在欺负你啊，笨蛋！”

男爵先是唱歌，然后又骂了我一句，豪放地大声吃着剩下的两代同堂鳗鱼饭。

我擦干泪水，再度拿起筷子。我也模仿男爵，专心地吃着鳗鱼饭。鲜嫩的鳗鱼、咸中带甜的酱汁，和煮得偏硬的饭粒团结一致，不断塞入我的身体。

在刚才那家餐厅吃了那么多开胃菜，没想到还有另一个胃可以装鳗鱼饭。虽然吃到一半便觉得有点太饱了，但我把和男爵相同分量的鳗鱼饭吃得精光。

“太好吃了。”

我抬起头，毫不保留地注视着男爵的双眼。男爵叼着牙签，露出一脸佩服的表情。

“埋单！”

男爵大喊的声音在安静的店内回响。厨房里已经开始收拾，二楼的客人也都走光了，店家今天可能为了男爵这位老主顾而特地延长了营业时间。

“走了。”

我慌忙站了起来。男爵这个人到底有多性急啊。

“谢谢款待。”

走出鹤屋后，我对着男爵的背影战战兢兢地说道。

“这是事成之后的报酬，你是靠自己工作赚的钱吃这顿饭，没理由向我道谢。如果借钱给那个家伙，就不是这点钱能搞定的。借钱给别人的时候，必须当作送给对方。如果没有这种心理准备，千万不要借钱给别人。你为我断然拒绝了对方，所以，我才应该向你道谢。辛苦了。”

这大概就是男爵道谢的方式吧。我不知道该如何回答，所以只好对着他的背影鞠了个躬。

“反正就是这样，所以我再带你去续摊吧。我们去前面吃甜点，反正你这种黄毛丫头，就算回家也没有男人在等你吧？”

男爵说完，自顾自笑了起来。虽然他说话很过分，但的确被他说中了，所以我也无法反驳。

男爵带我去的酒吧与鹤屋近在咫尺，虽然之前就曾听说六地藏路口那里有一家很不错的酒吧，但我住在深山里，很少有机会来海边这一带。

“来，请进。”

男爵为我打开了入口的门。建筑物的上方还留着“由比之滨办事处”的名字。

“这里以前是银行吧？”

虽然我很惊讶男爵竟然知道这么时尚的酒吧，但如果说很像他的风格，又觉得的确是这样。男爵到底是何方神圣？

小小的店堂内，保留着原本应该是银行柜台的沉重吧台。天花板很高，是很舒服的空间。

我和男爵坐在入口旁的沙发座位上。吧台前虽然也有几名客人，但所有人都静静地喝着酒。

“你要喝什么？”

男爵豪迈地用店家提供的小毛巾擦拭着脸时问我。

“我要老样子的那种鸡尾酒，但是，她……”

我犹豫不决地看着酒单。

“赶快决定，酒保在等你。”

他的脾气很暴躁。

“那么，我要点使用当季水果、酒精浓度不会太高的鸡尾酒。”

我慌忙一口气回答。

“还有巧克力。”

男爵补充道。

“没想到镰仓也有这么出色的酒吧。”

我终于拿起小毛巾擦手时说。

“正因为是镰仓，才有这么出色的酒吧啊。”

男爵立刻反驳。的确有道理，大都市很难打造出这样恰到好处的舒适气氛。黑色皮革沙发坐起来很舒服，褪色的灰泥墙壁也感觉特别有味道。

“这边原本是银行，后来变成小儿科诊所，现在又变成了酒吧。以前还是小儿科诊所的时候，我也经常来这里。”

“是啊。”

“这幢房子很不错，幸好保留了下来。”

男爵点的那杯“老样子”是我从没见过的奇怪饮料。酒保送上来时，我的身体忍不住向后一靠。

“这是什么？”

我问。

“桑布卡莫斯卡托。在桑布卡茴香酒中加入几颗咖啡豆，然后在酒上点火后，送到客人面前。”

难怪杯子表面冒着蓝色的火焰。

“这是男爵大人的最爱。”酒保说。

加了“大人”这两个字，感觉变得很滑稽。就在我拼命忍住笑的时候，酒保恭敬地把一杯色彩美丽的鸡尾酒放在我的面前。

男爵命令我把火吹熄，我吹熄了桑布卡莫斯卡托的蓝色火焰，然后以今晚的第三杯酒和男爵干杯。

我喝了一口鸡尾酒，柚子香气顿时在口中扩散。

“这是在香槟中加入柚子汁和甘夏橘汁调成的鸡尾酒。”

我把手工生巧克力放进嘴里。巧克力不会太甜，是绝妙的成熟味道。

“偶尔堕落一下很开心。”

听到男爵这么说，我默默点着头。因为去看落语，所以我穿得很随便，没想到一晚上连去了三家店，而且这些店彼此的距离都很近，闭着眼也能走到。

男爵走到吧台前和酒保聊天时，我去了一趟洗手间。刚走出厕所时，突然有人出声叫我。

“波波！”

我惊讶地抬起头，出现在眼前的是胖蒂。镰仓是一个小地方，遇到熟人并不稀奇。

“刚才从背后听到你说话的声音，我就在想会不会是你；不过你们的气氛很好，所以不好意思打扰。没想到真的是你！”

胖蒂完全误会了我和男爵的关系，不过解释太麻烦，所以我没有接话，而是直接改变了话题。

“你今天去学校加班吗？”

“对，只是稍微去一下而已，傍晚就处理完了，所以去逛街，在回家之前来这里。我虽然不会喝酒，但只要来这里，就可以感受到一点微醺。”

在酒吧遇见的胖蒂，看起来比平时更性感。合身的短裙下露出两条好像圆规般笔直的腿。

“下次要不要一起烤面包？”

胖蒂用仿佛真的喝醉般的语气问我。我被她的语气感染了，也用轻松的口吻回答：

“好啊，我从来没有自己烤过面包。你上次送我的面包超好吃。”

她的面包真的真的很棒，我忘我地一口气儿吃完，几乎忘了向她道谢。

看到男爵拿出围巾围在脖子上，我便结束了和胖蒂的聊天。

走出酒吧，过了马路，男爵拦了一辆出租车，率先坐了上去。

“时间很晚了，我送你回去。”

出租车从下马出发，在大町四角的十字路口左转，再沿着小町大路驶向八幡宫的方向。福屋的灯笼已经暗了。我说只要到镰仓宫前就好，但男爵叫出租车驶入小巷子，把我送到山茶文具店门口。

“谢谢，晚安。”

我走下出租车后向他道谢。

“晚安。”

他冷冷说完这句话，便坐着出租车离开了。

回家之后，我在佛坛前双手合十。

我一直以为自己是一个人长大的，但事实绝非如此。生下我的，是母亲；当我肚子饿时，也曾有人把母乳分给我；而抱着我前去的，除了上代，没有别人。

我在心里对生我、养我、保护我的所有人道谢。

我觉得上代好像第一次对我露出了笑容。她总是整齐地穿着和服，眼镜后方的眼神总是很严厉。只有在缘廊上抽烟时才会放松下来，但我一辈子都无法靠近那样的她。一直以来，上代始终面色凝重，只有今晚，似乎对我展露了微笑。

隔周。

一名女子精神抖擞地走进山茶文具店。

我起初还以为是哪个女明星上门。她身材高挑，我必须抬头看着她，而她光是站在那里，整个空间就亮了起来。不只是五官漂亮，一举手、一投足，全都气质高雅、优美动人。

难道是在这附近拍电影吗？或许是这个原因，所以她趁着空当来山茶文具店逛逛。

我觉得自己好像在做梦，有点飘飘然的。那名女子像是看进我双眼似的说：

“我是丑字人。”

她来到我面前时，身上散发出仿佛混合了桃子、草莓、香草和肉桂的宜人香气。

“愁，志人？”

我从来没听过这个字眼，忍不住反问。是罕见的姓氏吗？还是用委婉的方式表示自己长了痔疮？但长了痔疮的人跑来文具店也未免太奇怪了……我正在沉思，那名女子语带迟疑地说：

“我的意思是，我的字非常丑。”

她的年纪在二十五到三十五岁之间。上代经常对我说，字如其人。只要看一个人写的字，就可以了解对方是怎样的人。

所以，我猜她一定是自谦。虽然她说自己的字很丑，但应该只是很有个人风格而已吧。

“我猜你应该不会相信，这是我刚才写的五十音。就是这些。虽然很丢脸，但可以请你看一下吗？我认为你看了之后，就会相信了。”

她眼中含泪，从皮包里拿出信封，优雅的动作再度让人看得出了神。她散发出的高雅气质让人觉得，如果天鹅化身成人类，一定就像她那样。

不过，我真的太惊讶了。不，“惊讶”这两个字还不足以形容。我知道这么说很失礼，但她的字真的让人看了很不舒服，简直想吐。我这辈子从来没看过这么丑、这么令人不愉快的字。

“这是我尽了自己最大努力写的五十音。”

这时，我完全不知道该如何应对。如果是身经百战的上代，不知道会如何安慰眼前这可怜的女子。

“我去泡茶。”

我试图让自己冷静，于是起身去泡茶，把她独自留在那里。

山茶文具店已经开始使用火炉，那是上代留下的老旧筒型火炉，上面放着铁制水壶烧水。

家里刚好有柚子茶，我立刻冲了热水，泡了柚子茶。看目前的情况，也许会聊很久，所以我在杯子里倒了满满的柚子茶。寒冷季节时，店堂内都会使用火炉，不必特地跑到后头，就可以直接在店堂里轻松泡茶。

我们喝着柚子茶，再度听她从头细说。对她来说，出示自己的丑字，也许比被人看到自己的裸体更丢脸，但她仍然鼓起勇气踏进山茶文具店。想到这里，让我很希望能够助她一臂之力。因为她和我初次见面，便对我展示了自己最羞于见人的一面。

她的名字叫花莲。

“虽然父母为我取的名字应该用汉字，但因为我写得太丑了，所以平时都只能用平假名写自己的名字，因为这样比较看不出字丑。”

这时，我才第一次知道，原来字丑的人在日常生活中，饱尝了写字漂亮的人难以体会的辛苦。

“请问你从事什么工作？”

我问。

“我是国际线的空服员。”

花莲小姐口齿清晰地回答。

“其实我原本想当老师，但老师不是要在黑板上写字吗？所以我知道自己没办法，只好放弃。我平时就尽可能避免在别人面前写字，基本上都会婉拒参加婚礼和葬礼。或许你觉得这种理由很奇怪，但只要我一紧张，字就会写得比平时更丑。”

“这样啊。”

除此以外，我不知道还能说什么。

如今，日常生活中写字的机会越来越少。上代曾忍不住为这件事皱眉头，但是，对和花莲小姐有着相同烦恼的人来说，仍有很多场合需要写字，因为还是会遇到无法用电子邮件和短信解决的状况。

花莲小姐愁容满面地说：

“所以，我想委托代笔。妈妈对写字这件事很严格；啊，虽然说是妈妈，但其实是我婆婆。”

花莲小姐叹着气。我静静等她继续说下去。

“我父母也很在意我字丑这件事，从小就经常教我写字，也让我参加书法班，但我还是写不好。我觉得搞不好是脑子的问题，大脑可能无法正确认识字形。所以当初找工作时，还是请我妈妈代我写履历表，才总算蒙混过去。

“当初认识我老公时，我也很担心我的字太丑会吓跑他——以前发生过因为我的字太丑，结果对方提出分手的情况。如果爱上他之后才发生这种事的话很痛苦，所以在和我老公交往前，我就让他看了我写的字，问他，即使我的字写得这么丑，也没问题吗？然后我们才开始交往。”

“你的先生很温柔体贴。”

花莲小姐听到我这么说，害羞地微笑着。

“我老公说，世界上不可能有完美的人，而且像我这样的女人，如果身上没有缺点，会让人很不舒服，所以他反而松了一口气。他这句话彻底拯救了我，过去我曾因为字丑，觉得自己大概嫁不出去了。”

能如此温柔接受对方缺点的男人并不多。因为很多人在吵架时，会若无其事地提及对方最忌讳的事。

“但问题在于我婆婆。”

花莲小姐恢复严肃的表情。她在说“婆婆”这两个字时，有种拒人千里之外的感觉。

“我和我妈妈的感情很好，但我婆婆个性很严格。有一次我在国外，用电子邮件向她道贺，结果被她狠狠骂了一顿，所以在圣诞节和生日时，我都会自己写卡片寄给她。但是，有一次她对我说，字丑是因为心丑，所以没有经过我同意，就去为我报名了函授讲座。问题是我平时要上班，根本没办法上课，而且我字丑的程度有点像生病那样，已经无药可救了。我早就参加过硬笔字练习的讲座，根本没有用，但我骗婆婆说，我有参加讲座……”

“真辛苦啊。”

以前，我对“字如其人”这句话深信不疑。粗鲁的人，写的字也很粗鲁；细腻的人，就会写出细腻的字。虽然有的人看起来一丝不苟，但如果写出来的字很大胆豪放，就可以看出他真正的性格。有些字虽然很漂亮，但感觉很冷漠；有些字虽然不工整，却有一种好像在篝火旁暖手般的温度。

我一直以为，字能够反映书写者的人品，但这种认识并不正确。有不少人像花莲小姐一样，即使下了苦功，仍然无法写出漂亮的字。如果认为因为心丑才会字丑，未免太武断了。

“我婆婆即将过六十大寿。”

花莲小姐继续说道。杯子里的柚子茶几乎已经喝光了。

“我和我老公商量后，为她准备好了礼物，但我没办法写小卡片，所以……能请你代写吗？”

她一定犹豫了很久，最后才决定来这里。如果不帮助这种人，还算什么代笔人？

我格外用力地说：

“我接受你的委托。”

我坐在椅子上向她鞠躬，她露出了安心的笑容。

花莲小姐已经买好了卡片带过来。

“好漂亮的卡片。”

我从来没有看过这么漂亮的卡片，忍不住瞪大了眼睛。

“这是我在比利时一家专门卖纸的小店内找到的，我觉得很适合我婆婆。”

纸张表面有叶子图案的淡淡凹痕。

“是古董卡片吗？”

我用手指抚摩着凹下去的叶子形状，以免把纸弄脏。

“好像是，店里的人说，应该是一百多年前生产的纸张。”

“果然是这样，因为摸起来的感觉不一样。”

我很想把卡片放在脸上厮磨。纸质给人一种优雅的感觉，好像在抚摩高贵的猫咪背部。

“你急着要吗？”

我问她。

“虽然离我婆婆生日还有一段时间，但我明天就要飞到国外，所以，如果可以的话……”

显然是越快越好。

“好，可不可以给我一点时间，今天之内就会写好交给你。”

写卡片很简单，而且，花莲小姐已经写好了内容。

“谢谢你！太好了。我娘家就在小町，那我晚一点再过来。”

花莲小姐站了起来。

立如芍药，坐如牡丹，行如百合。

这句话完全是花莲小姐的写照。

太阳渐渐下山，我猜想应该不会再有客人上门，于是提前打烊了。

整理桌子后，把花莲小姐带来的那张她写了五十音的纸摊开，脑海中浮现她的面容。我必须将这两者进行完美结合。

漂亮的字并非只追求外形漂亮，必须有温度、有微笑、有安稳、有平静。我个人很喜欢这样的字。

花莲小姐绝对不是那种高不可攀的美女，她最美的是那颗真诚的心。正因为这样，我希望能够写出有花莲小姐的味道、只有她才能够写出的字，让那些字成为花莲小姐的化身。

这次我选择圆珠笔，而不是钢笔书写。

如果有两张相同的卡片，还可以试写，但眼前只有一张卡片而已，而且是一百年前的纸张。基本上，欧洲生产的纸不会发生钢笔墨水洇开这种事情，但因为是古董纸，很难预料会发生什么状况，墨水一旦洇开，后果将不堪设想。

为了避免花莲小姐特地从比利时买回来的卡片毁在我的手上，这次决定使用圆珠笔。说是圆珠笔，却也不是那种出墨很不均匀的廉价圆珠笔，而是我从小爱用的Romeo No.3。

Romeo是百年文具店伊东屋在大正三年（一九一四年）发售的原创笔款，并且同时推出了钢笔和圆珠笔。我使用的是当时贩卖的圆珠笔，上上代很爱这款圆珠笔。

我拿起Romeo No.3，在纸上一次又一次试写花莲小姐事先拟好的内容。

原本以为是简单的工作，没想到一直写不出理想的字。为人代笔时，有时一下子就可以写出如预期的字，但有时候写了一两百张，仍然觉得不对劲。写字的行为就像生理现象，无论自己多想写出漂亮的字，无法如愿时就是无法如愿。即使痛苦得满地打滚，写不出来就是写不出来。文字就是这样的怪物。

这时，耳边突然响起上代的声音。

要用身体写字。

的确，我是在用脑袋写字。

看向外头，太阳已经下山，天色已经暗了。夜色仿佛把额头和鼻子贴在山茶文具店的玻璃门上偷看我。漆黑的夜色中，我的脸庞宛如上弦月映照在玻璃门上。

上代写的“山茶文具店”几个字即使从背面看，也美得让人陶醉。这几个字并不像铅字那么工整，看起来有点潦草的感觉很是绝妙。

好了。

我努力将注意力集中在丹田下方。

把卡片放在适中的位置，再度拿起Romeo No.3，然后慢慢闭上眼睛。即使不看着纸，要书写的内容也完全印在脑海中。

我贴近花莲小姐的脸。

接着用右手轻轻握住花莲小姐的右手，闭着眼睛，像深呼吸般在卡片上写字。

当我缓缓睁开眼睛时，发现卡片上的字很陌生，简直不像出自我的手。决定用圆珠笔写这张卡片是正确的决定，从这些文字中，可以感受到花莲小姐的恭谨有礼和纯洁。我把写好的卡片装进信封。

晚上七点多，花莲小姐再度来到山茶文具店。看起来质料很好的深蓝色大衣和白色围巾在她身上很好看。

“我呈现了这样的感觉……”

我战战兢兢地递上卡片。花莲小姐一看到卡片，立刻欢呼起来。

“简直就像我自己写的！谢谢你！”

她像少女般兴奋不已。

花莲小姐用力握住我放在桌上的手，不断道谢。大概是外面生日快乐。
六十枝鲜红色的玫瑰花，
祝贺您六十大寿。
您和爸爸恩爱的身影，
是我们夫妻的榜样。
愿您青春永驻，长命百岁。

花莲 敬上

很冷吧，她的手很冰。

“这没什么……”

我诚惶诚恐地说，但花莲小姐露出激动的表情：

“我一直想写这样的字。”

她喃喃说着，眼里泛着泪水。

“很高兴能帮上你的忙。”

不知道为什么，我在说话时，也热泪盈眶。说句心里话，我几乎不太记得闭着眼睛写卡片的过程，只是努力想和花莲小姐的心融为一体。

我擦着眼泪对她说：

“我才要感谢你。过去我一直误以为，字之所以写得丑，是因为写字的人的内心如此；但认识你之后，才知道这种想法是偏见，所以，真的很对不起。”

我说着说着，泪水再度从脸颊滑落，停不下来。

“你不要道歉啦！”

花莲小姐也哭得整张脸都皱成一团，但即使是皱成一团的哭脸，也很有魅力。我猜想花莲小姐应该一直很在意自己的字。

“欢迎你随时再来找我，如果你不嫌弃，我愿意助你一臂之力。”

花莲小姐听我这么说，又哭了起来。

上代说的“影武者”，一定就是这个意思。我很庆幸自己继承了代笔人的工作。

时间进入十二月后，一下子有了年终将至的感觉。

这个时节会接到大量委托写贺年卡姓名、住址的工作。就贺年卡来说，我只接一百张以上的代笔工作，所以只限料亭和旅馆等大宗委托，费用设定也偏高。

但即使如此，上门委托的客人仍然络绎不绝。所以，十二月时，我从早到晚都离不开山茶文具店的桌椅，有时甚至一边顾店，一边写贺年卡的姓名、住址。从早晨起床到晚上睡觉为止，一直忙得团团转，一天很快就过去了。日复一日过着这种生活，转眼间，一个星期就过去了。等到不经意地抬头看向月历时，才发现十二月已经过了一大半。

当我回过神时，发现圣诞节已过，家家户户门口都出现了新年的摆设。年终的沉静感淡淡地笼罩了整个镰仓。

山茶文具店好不容易结束了一整年的营业，我总算有时间打扫店里。

终于，顺利写完了最后一张贺年卡的地址和姓名，手却罹患了腱鞘炎，肩膀也硬得像石头，而且不知道是否因为松了一口气的关系，好像有点感冒了。

新年那天，虽然咳嗽不断，但还是去八幡宫参加大祓仪式。转眼间半年过去了，参加夏越大祓就像是不久前的事。参加完大祓，我直接回家，立刻在门口挂上新的大祓注连绳。因为才刚打扫过，所以山茶文具店的玻璃门特别光亮，完全没有指纹。

每当强风吹来，红色的纸带便翩翩起舞。托大祓注连绳的福，这半年都平安无事。

我正准备走进家门时，发现信箱里有一封信。

这几天工作太忙，我没时间看信箱。而上代过世后，家里也不再订报。

长长的白色信封上所写的寄件人姓名是“武田聪”。我不认识这个人。但收信人的名字的确写着“山茶文具店　公启”。也许是有人抢先寄来了需要供养的信件吧——虽然必须等到明年才开始受理。

我一进家门，就用拆信刀拆开了信，确认信件的内容，以防万一。

上代绝不允许我直接用手把信撕开，即使是现在，我拆信时必定使用拆信刀。

武田先生想必很努力地写了这封信，虽然信的内容让人感觉很死板，但任何人第一次写信差不多都是这样；只不过他潦草的字迹实在让人忍不住喷饭。用这种笔迹写邀稿信的话，对方大概也不会认为他出自真心诚意吧，但信中所写的每一句话，都是发自他的内心。

那件事曾经让我沮丧不已，也深刻反省，既然我身为专业代笔人，无论遇到再怎么不喜欢的客人，即使对方要我写的内容再怎么无法认同，都应该面带笑容地接受。这才是称职的代笔人。

在我好不容易即将遗忘当时的懊恼之际，收到了这封信，而且还算是不错的结果。因为如此一来，这个世界上又多了一个愿意提笔写信的人。

或许是因为换上新的大祓注连绳，又意外收到武田先生的信，使得心情放松的关系，我竟然拿着他的信，就这样在沙发上躺了年关将近，不知道近来可好？

上次很感谢你。

从小到大，甚至连父母都不曾那样骂过我，所以，一开始我超沮丧。

但搭乘横须贺线离开镰仓车站，回公司的路上，我再次认真思考，

当初自己为什么会选择当一名编辑。

以前，我从来不曾思考过这件事，

所以这种感觉很新鲜。

我发现，自己想要制作别人看了之后会感到高兴的书。

我自己写了原本打算委托你写的信，

但遭到拒绝了。但是，我不会放弃。

我打算一次又一次地邀请，直到对方答应为止。

最后，真心感谢你当时认真地表达了坦率的意见。

天气渐冷，请多保重。

又及，

除了工作之外，这是我生平第一次写信。

下来。

回想起来，即使是我那个年代，也已经有很多同学都用电子邮件拜年；这么说来，比我更年轻的武田先生这个年纪的人，就算成年之前从未写过信，也不是什么奇怪的事。我仔细思考着这些问题，却在不知不觉中睡着了。

当我再度睁开眼，发现天色已完全暗了下来，而且还听到邻居叫我的声音。

“波波，你在家吗？”

“在啊！”

我一边很有精神地回答，一边从沙发上跳了起来。

“要不要去敲除夜钟？”

听到她这句话，我才想起今天是新年。我到底睡了多久？

“我马上准备出门。”

我慌忙起身，在脖子上围好围巾。没想到一眨眼的工夫，时间已经这么晚了。我竖起耳朵，的确可以听到远处响起钟声。镰仓有很多寺院，新年之夜，钟声四处可闻。

我和芭芭拉夫人一起走在寂静的河边道路上。

芭芭拉夫人的脖子上围了条狐狸毛围巾，还有淡淡的樟脑丸味道。上代生前也常用类似的围巾，也许这种款式曾在日本流行过吧。

天气很冷，所以我紧挨着芭芭拉夫人身边走，她便轻轻挽住我的手。我和芭芭拉夫人的嘴里都吐出了白雾。

星星在叶子已落尽的枯树后方闪烁着。

“波波，我要告诉你一件有用的事。”

芭芭拉夫人说。

“什么有用的事？”

我问她。

“可以让自己得到幸福的魔咒，一直以来，我都身体力行。”

芭芭拉夫人呵呵地笑了起来。

“请你告诉我。”

“只要在心里说‘闪闪发亮’。只要闭上眼睛说‘闪闪发亮，闪闪发亮’就好，这么一来，就会有许多星星出现在内心的黑暗中，变成一片美丽的星空。”

“只要说‘闪闪发亮’就可以了吗？”

“对！是不是很简单？而且不管在什么地方都可以做到。只要这么做，痛苦的事、悲伤的事，都会消失在漂亮的星空中。嗯，你现在就试试看。”

既然芭芭拉夫人这么说，而且她还挽着我，于是我闭上了眼睛慢慢走着。

闪闪发亮，闪闪发亮，闪闪发亮，闪闪发亮。

我在心里默念。

星星出现在原本空无一物的内心黑暗中，最后甚至有点刺眼。

“简直就像魔法。”

“对不对？这个魔咒很有效，你试试看。这是我送你的礼物。”

芭芭拉夫人在我的耳边低语。我抬头望着天上的星星，对她说了声“谢谢”。

冬

从玄关走到屋外，发现地面闪闪发亮。我把脚轻轻放在枯叶上，随即听到凝霜碎裂的声音。元月一日的早晨，我突然很想吃可颂面包。

虽然外面很冷，但晴空万里，心情很舒畅。就这样步行前往神社参拜。我走在通往海边的山路上，当成运动似的快步走着。

一步一步，一步一步。天空晴朗得让人忍不住想落泪。

沿着大马路右转，走进住宅区的狭窄巷内，很快就看到了壮观的山茶树。雨宫家每年新年参拜都是去由比若宫。

据说山茶文具店门口的那棵山茶树，是用由比若宫的山茶树树枝扦插而来的。不知道是上代还是上上代，把被台风吹断的树枝带回家，试着种在家门口，没想到它竟牢牢地扎了根、长成了大树。

这间位于材木座的简朴神社是八幡宫的前身，所以也称为“元八幡”。上代在世时，每年元旦在家吃完咸年糕汤，必定会带我来这所神社参拜。在镰仓众多神社佛阁中，由比若宫或许是最能令我心情放松的地方。

小小的神社周围长满了树木，不知道该说是郁郁苍苍，还是杂乱无章，看起来像丛林般茂盛。也许因为其中有芭蕉树的缘故，这片空间显得很有南国风情。

毕竟是元旦，所以无法像平时一样独占神社。年轻的巫女穿着鲜艳的衣裳，满面笑容地为参拜的客人奉上神酒。

“新年快乐。”

巫女向我拜年。

“新年快乐。”

“要不要喝一杯？”

“谢谢。”

这是我今年第一次开口说话。

我和芭芭拉夫人一起敲完除夜钟后，在去年还没结束前便各自回家。

今天早晨，芭芭拉夫人家没有动静，也许她受男友之邀，一起去看元旦曙光了。

将巫女恭敬倒进杯中的神酒含在嘴里，属于新年的独特味道在口中扩散。我品尝着浓醇的神酒在舌尖上打转的滋味，不慌不忙地分三次把酒喝完。白色小碟子中央浮现浅浅的仙鹤图案。

由比若宫允许参拜的客人将饮用过神酒的小碟子带回家，雨宫家的碗橱里有一摞历代在每年新年参拜后带回家的白色小碟子。虽然八幡宫也使用相同的小碟子，但是喝完后会收回，不能带回家。这种小碟子很适合用来蘸酱油。

可能是一大早就喝酒的关系，脑袋有点昏沉沉的，我便坐在神社内的长椅上，注视着天空。不论这里还是那里，整片天空都染上完美的蓝色，让人觉得不可能更蓝了。

山茶树的枝叶恣意生长，仿佛把手伸向蔚蓝天空似的。那边有几只初雀——今年第一次看见的麻雀——整齐地站在树枝上，鼓起的肚子很像炸年糕片，很有新年的味道。我情不自禁地露出微笑。

我抬头向着天空，闭上眼睛，想着今年新春试笔要写些什么，自己又希望今年是怎样的一年。

“魁”？“晓”？“元旦曙光”？还是“希望”？

但始终找不到一个刚好可以卡进心灵缝隙的词语。

当我思考这些事时，风从大海的方向吹来，刘海儿好像在跳华尔兹。

带着一丝暖意的风就像透明的输送带，只带来美好的事物。听说以前的海岸线就在由比若宫前。

有一家人带着活泼的孩子来参拜，我再度缓缓睁开眼睛。远处传来海鸥哭泣般的叫声，每次听到这种声音，我总会不由得感到难过。

回家的路上，我去车站前搭了公交车，在十二所神社前下车，沿着河边往太刀洗川上游走向朝比奈切通的方向。原本以为这么偏僻的地方应该不会有观光客，结果我错了。一群登山装扮的男男女女杀气腾腾地冲下坡道。

太刀洗位于小瀑布前，涌出的泉水被用细竹筒从山崖上接了下来。

我先洗了手，然后汲水咕噜咕噜一饮而尽。直冲脑门的冰冷唤醒了全身所有细胞，在元八幡喝神酒产生的淡淡醉意也跟着四处逃窜，消失无踪了。

太刀洗是镰仓五大名水之一。很久很久以前，一位武士杀了人之后，用这里的泉水清洗沾满血迹的刀，它因而得名。虽然镰仓号称有五大名水，但目前只有这里和钱洗弁财天还继续使用。

我把从家里带来的空宝特瓶放在竹筒前端，装了满满的新鲜泉水。这也是上代在世时，每年必不可少的仪式之一。雨宫家都会在元旦早晨来这里盛取每年第一次汲的初水。

隔天，我用从太刀洗带回的初水挑战了新春试笔。我已经有好几年没写新春试笔了，把书写道具和坐垫对着今年的吉祥方位排好，再将用宝特瓶装回来的初水倒进葫芦的砚滴中，仔细磨墨。

目前作为砚滴使用的，是崎阳轩的“小葫芦”。以前住在星巴克御成町店旁的漫画家横山隆一先生，为崎阳轩烧卖便当中的酱油小瓷瓶画上人脸，而雨宫家有完整四十八款不同脸孔的小葫芦。

只有今天，不为任何人，而是为自己写字。代笔的工作需要化身为各式各样的人，感受不同的心境后再写字。虽然听起来像在自夸，但我真的觉得自己越来越能顺利附身在不同人的文字上。只不过猛然停下脚步思考时，发现我还不知道自己的字，我还没能邂逅像是在体内流动的血液般，代表我这个人的字。我的字将如同自己的分身，无论撷取其中任何一部分，都充满我的基因。

我认为上代有属于自己的字。我之所以迟迟无法撕下她贴在厨房的标语，就是因为她仍活在那些文字中。文字的轨迹里，至今仍然镌刻着她的呼吸。

上代虽然完成了不计其数的代笔工作，却始终没有迷失自我，即使在生命的最后一刻依然如此。就算肉体离开了这个世界，却仍活在她所留下来的文字里，灵魂仍寄托其上。这才是手写文字真正的样貌。

用笔尖蘸取了充足的墨汁后，用力深呼吸，把内心彻底放空，然后将笔缓缓落在宣纸上。

春多食苦、夏多食酸、秋多食辣、冬多食油

我突然很想写和上代相同的文字。

写完最后一个字，宛若在空中飘浮的飞碟般轻轻提起毛笔，顿时有股新鲜空气流入身体。有那么一刹那，我的心完全放空。

不过，还是不对劲。不知道是文字下方影子的深浅，还是密度，或者说是存在感有问题，总之，有某种决定性的不对劲。但这就是目前的现实。

我思考着这些字，用草绿色的纸胶带把自己的新春试笔贴在上代写的标语旁。

元月三日后，寄到山茶文具店的邮件开始增加。

因为过年后，便开始受理要放在文冢供养的书信。

这些书信从全国各地，有时候甚至从国外寄到山茶文具店，都是收件人无法自行处理的书信。

姑且不论广告信函，收到别人寄来的信时，很难看了之后就丢弃。即使只是一张明信片，只要是对方亲手所写，就能从中感受到书写者的用心和耗费的时间。但如果都保留下来，就会越积越多，的确不堪负荷。

雨宫家从这件事中看到了商机。

虽然或许不该这么说，但总而言之，雨宫家代代都会进行这项神圣的仪式。这和供养旧缝衣针和人偶一样，由雨宫家代替收件人，好好供养那些写在书信上的言灵。

寄来的书信中，情书压倒性占多数，这其实也在意料之中。

很多人无法丢弃旧情人寄给自己的信，一直保留着，但好不容易要和其他人结婚了，于是下决心放弃这些旧情书，却不忍心就这样丢进垃圾桶。

甚至有人每年把前一年收到的所有书信和明信片，连同贺年卡一起寄来。名为“供奉金”的处理费用采用自由乐捐的方式，只要同时寄上适当金额的邮票即可。受理截止日期到一月底，在农历二月三日当天举行永久供养仪式，代替书信的主人供养这些信件，然后付之一炬。这是雨宫家代代相传、一年之中最重要的仪式。

而且，今年是相隔数年后，重启这项仪式。在上代去世、由寿司子姨婆代为管理山茶文具店的这段时间暂停受理。等到我回来之后，又恢复了书信供养的仪式。

虽然信箱里塞满了信，却没有任何一张是寄给我的贺年卡，未免有点心酸。去年年底忙着处理贺年卡的代笔业务，无暇寄贺年卡给亲朋好友。虽然有好朋友在国外，但他们都用电子邮件拜年，特地写贺年卡寄给住在隔壁的芭芭拉夫人也有点奇怪。

山茶文具店从元月四日正式开始营业。镰仓大部分商家都只在新年休息一天，元旦起开始营业，所以相较之下，四日才开张算是很悠闲。

原本以为新年不会有客人上门，没想到去镰仓宫参拜的人也会顺道来店里逛逛。

我准备了十份装有库存商品的文具福袋试卖，竟然当天就卖完了。机不可失，我在打烊后又准备了十份福袋。因为原本对福袋并没有抱太大的期待，所以忙得不可开交，但还是高兴得忍不住尖叫。

还有一件高兴的事：可尔必思夫人带着她的孙女木偶妹妹一起来店里。

那时候店里刚好很忙，所以无法和她们聊很久。她们去附近的亲戚家拜年后，顺便绕到店里。可尔必思夫人的腿伤已经痊愈，木偶妹妹也一下子长高了，祖孙两人看起来都很有活力。

当她们准备离开时，我小声问木偶妹妹上次情书的事，她若无其事地回答：

“老师的事已经不重要了，因为他结婚了。”

也许她找到了其他更能乐在其中的事。看到可尔必思夫人头上戴着小圆点图案的发带，我忍不住笑了。

这对祖孙如果知道我和上代过去相处的方式，绝对会吓一大跳。可尔必思夫人和木偶妹妹手牵着手走出山茶文具店，看起来就像是忘年之交。

六日傍晚，男爵翩然现身。

原本客人一直络绎不绝，但那一刻刚好完全没有其他客人。听到有人穿木屐大步走来的声音，我一抬头，看到男爵拎着白色塑料袋站在我的面前。他并没有向我拜年，只冷冷地说了一声：“七草。”便转身准备离开。

“请等一下！”

难得来一趟，就算请他喝杯甘酒也好，于是连忙挽留男爵，却忍不住尖叫起来。事后回想起来，觉得好丢脸。

我从放在火炉上的双耳锅里舀了满满的甘酒装进纸杯，递给男爵。新年期间，我会请所有上门的客人喝杯甘酒。

“甘酒不是夏天的饮料吗？”

听到男爵这么说，我大吃一惊。我一直以为甘酒是冬天的饮料。

“是这样吗？”

“不是都会挑着扁担，沿路叫卖‘甜啊，甜啊，甘酒甜啊！’吗？听说可以预防中暑。”

男爵的嘴上虽然这么说，但还是一口气把甘酒喝完了。他喝得那么急，喉咙会烫伤吧。也因为喝太快的缘故，男爵的脸变得通红。

“夏天的甘酒应该很冰吧？”

我难以理解地问男爵。

“应该是这样吧。甘酒冰冰的也很好喝。”

男爵留下一句“谢谢招待”，又精神抖擞地走出店外。

他带来的塑料袋还放在桌子上，我打开绑紧的袋口，冰冷的泥土味扑鼻而来。男爵亲自去山上采了春之七草给我吗？春天在塑料袋里提前到来了。

闻着这七种草花的香气，我突然在意起自己的指甲。或许这就是所谓的“习惯成自然”。上次剪指甲，已经是去年的事了。

小时候，一到元月七日早晨，上代一定会帮我剪指甲。

六日晚上把七草浸泡在水里，隔天早晨，先把手指浸在七草水中，再剪指甲，称为“七草爪”。七日是新年后第一次剪指甲的日子，从元旦到六日晚上，无论指甲再怎么长，都不可以剪。

上代曾经说，只要按七草爪的方式剪指甲，一整年都不会感冒。我在初中毕业前都信以为真，但上了高中变得叛逆之后，大骂那是迷信，完全无视七草爪的习俗。之后，甚至从来不曾想起七草爪这件事。

男爵离开后，我立刻把七草放进盆子，用冷水洗干净。七草都很新鲜，仿佛尚未发现自己已从泥土中被拔了起来，舒服地漂浮在不锈钢盆里。

隔天，我马上把手指浸泡在漂着七草的水中。经过一晚，水变得冰冷，仔细一看，发现表面有一层薄薄的冰。

我正襟危坐，带着严肃的态度开始剪指甲。当年像樱贝般柔软的指甲，如今已完全是大人的样貌。

先是右手，再来是左手，我仔细剪完双手的指甲。这是阔别十几年的七草爪。

指尖变得清爽后，我开始煮粥。我决定今天要跟芭芭拉夫人打招呼。自从新年去敲钟后，我还没见过她。

“早安——”

我下定决心，从丹田发出声音。

“我该不会还没向你拜年吧？新年快乐。”

芭芭拉夫人一如往常，用活力充沛的声音回答。

“新年快乐，今年也请多关照！”

我按捺着那终于松了一口气的心情，很快回答。其实我心里一直七上八下的，担心芭芭拉夫人是否发生了什么意外。这份不安几乎把我的心压垮了，但听她的声音，还是和平时一样有精神。

“波波，你有没有吃到好吃的咸年糕汤？”

芭芭拉夫人完全没察觉我在为她担心，语气开朗地问我。

上代在世时，每年都是她煮咸年糕汤，年糕汤里会加入肉丸和水芹菜，肉丸则是用车站前的鸡肉专卖店“鸟一”卖的半土鸭绞肉做的。但今年我觉得做一人份的咸年糕汤太麻烦，所以还没有吃。我含糊其词，反问芭芭拉夫人：

“芭芭拉夫人你呢？新年过得好吗？”

听到我的问题，芭芭拉夫人痛苦地咳嗽起来。

“你感冒了吗？”我问。

搞不好她真的因为生病而一直卧床。

“我也不知道，应该只是昨天晚上有点着凉了吧。”

“我要煮七草粥，你要不要一起来吃？”

我向她传达了这天的头等大事，再度传来一阵咳嗽声。

“太好了！那我可以现在去你家吃吗？”

虽然她回答的声音有点沙哑，但很有精神。

“当然没问题，只是我现在才开始煮，等一下才会好。我会赶快煮一煮，煮好后再叫你。”

“才不要。”

芭芭拉夫人的回答出乎我的意料。

“匆匆忙忙煮出来的七草粥不好吃。”

她故意用撒娇似的口吻说道。我立刻便理解她的意图，于是改口：

“那我会花足够的时间慢慢熬粥。”

我在说话的同时，伸手去拿砧板和菜刀。

“谢谢，七草粥太让人怀念了，我已经好几年没吃了，真期待啊。”

芭芭拉夫人说完这句话就走开了。

我把男爵送我的七草倒进沥水篮。薄冰已经融化不见了。

洗好两人份的白米，倒进砂锅，接着再加水。冰箱里还有元旦那天在太刀洗汲取的泉水，接下来就是花时间慢慢熬粥。在海外流浪的那段日子，为了让为数不多的白米能撑久一点，我经常煮粥吃。

这是今年第一次和芭芭拉夫人一起吃早餐。仔细想想，发现我们虽然才一星期没见，却觉得好像很久没见到她了。听到芭芭拉夫人的声音后，终于恢复了日常的生活。

在镰仓天空飘着小雪的寒冷下午，一名男性面色凝重地走进山茶文具店。

“请问有人在吗？”

这名男子很规矩地在店门口脱下帽子，将肩上的雪花拍落后，才走进店内。

外面应该很冷。即使关上玻璃门，店里还是很冷，门一打开，更加冰冷的空气便立刻冲了进来。

男子直直走向我，手里小心翼翼抱着一个用布巾包着的包裹。想必是上门委托代笔的客人。

“请坐。”

我拿了张圆椅凳请他坐，然后把葛粉放进茶杯，再将火炉上已烧开的水倒进杯子。

男子仔细叠好脱下的大衣，放在腿上。是侦探常穿的那种肩膀上有斗篷的大衣，我忘了这种款式的大衣叫老鹰大衣还是飞鼠大衣，只记得有动物的名字。

“请趁热喝吧。”

我用木匙充分搅拌葛汤后，把其中一杯递到他的面前。

他坐在我的斜前方。我给他的是客人用的茶杯，自己的那份则是倒进马克杯。葛汤是芭芭拉夫人年底和男朋友去奈良旅行时带回来的伴手礼。

男子双手捧着茶杯暖手，他的嘴里吐出的气带着淡淡的银色。

“你愿意写多少就写多少，可以麻烦你写一下个人资料吗？”

我猜想他的手应该变暖了，于是把纸笔放在他的面前。他用仿佛挺直身子般的明晰笔迹，写下了自己的名字。

我轻声问眼前的白川清太郎先生：

“请问你想委托的内容是什么？”

清太郎先生用一脸无可奈何的表情开了口：

“我想要让我妈解脱。”

“令堂吗？”

他想让他妈妈解脱。这句话是什么意思？我差一点产生可怕的念头，但急忙甩开了。清太郎先生无奈地重重叹着气，然后一口气说了起来。

“我妈个性很好强，在九十岁前，一直独自在横滨生活，完全不靠别人。但进入养老院后，却开始说一些奇怪的话。

“我补充一下，我爸以前开贸易公司，很多年前就过世了。但我妈竟然说，我爸会寄信到家里，所以吵着要回家。

“我爸是个很冷漠的人，老实说，我对他没有什么好的回忆。以前即使他偶尔回家，也整天板着一张脸，我完全不记得小时候他曾带我出去玩。即使我鼓起勇气跟他说话，他也不理我。他就是那种很传统的男人，从来没送过我妈任何东西，更不曾说过任何体贴安慰的话，话虽如此，他喝酒之后也不会打人或骂人就是了。

“正因为我爸是这种人，所以我完全不相信他会写信给我妈，我和姐姐一直觉得是我妈在胡说八道或幻想。

“没想到前一阵子，姐姐去我妈家里整理，竟然在衣柜底层找到了那些信。就是这些。”

清太郎先生说到这里，视线缓缓移向腿上的包裹。

我伸手拿起自己的马克杯，喝着稍微变凉的葛汤，柔和的口感在舌尖渐渐扩散。

清太郎先生仔细折好包袱巾，把那沓信递到我面前。那些信用红色的绳子绑了起来。虽然大部分都是明信片，但也有一些信件。

“请你随意打开来看。”

得到清太郎先生的同意后，我双手捧起那沓信，拿到自己面前。

旧纸张特有的、仿佛干燥灰尘般的味道扑鼻而来。我轻轻打开绳子，那沓信缓缓倒下，在桌上散开成扇形。

最上面是一张印有黑白照片的明信片。穿着古早泳衣的人在巨大的游泳池里开心地游泳。

“我可以拜读吗？”

阅读不是写给自己的信时，内心总是对寄信人和收信人双方深感抱歉，但清太郎先生对我露出“请你务必要看”的眼神，我向他欠了欠身，把手上的明信片翻了过来。

“我到今天仍无法相信，那个整天板着脸的爸爸竟然这么爱开玩笑。”

在我阅读内容时，清太郎先生也把头凑了过来，小声嘀咕着。对于哪一张明信片上写了什么内容，他应该都很熟悉了。

“这和我们所认识的爸爸完全判若两人。”

虽然他说得好像因为太过惊讶而拒绝接受似的，但内心也许觉得很高兴。清太郎先生的眼角透露出温柔。

“只要他寄一张这样的明信片给我和我姐姐，我们的人生也许就不一样了。”

明信片上大大方方地表达了对清太郎先生母亲的爱。他的父亲大概是很担心太太吧，所以从各地写信给妻子，有时候甚至一天连写两封。

“真让人羡慕。”

我看着那些信的内容，深表感慨地说着，情不自禁叹了口气。

“虽然只要仔细想想，就会觉得这是理所当然的，毕竟我爸和我妈也是男人和女人；只是站在小孩子的立场，完全没有想到这件事。”

“令堂一定每天都期盼收到令尊的信。”

清太郎先生听到我这么说，闭上眼睛，深深点了点头。

“至今仍等待着。”

我喃喃重复这句话，咀嚼话中的意义。

“所以她吵着要回去。看到她那样，我真的很难过，忍不住想象她总是背着年纪还小的我们去查看信箱的样子。我猜那是无法让我们姐弟看到的、秘密的爱。”

从中间开始，清太郎先生的声音就变得像是在拼命压抑情绪似的。一口气说完后，他轻轻擦拭眼角的泪水。然后再度坐直身子，直视着我。

“可不可以请你代替去了天堂的父亲写信？”

听到清太郎先生的要求，这次轮到我忍不住擦拭眼角的泪水。

那天晚上，我看完清太郎先生的父亲写给他母亲的所有信件。

那是老派男人特有的、苍劲有力的字。或许他即使在工作时，也随时带着爱用的钢笔。虽然偶尔也会用圆珠笔写信，但几乎都是用同一支粗尖钢笔，墨色也都一律是黑色。

字也会像体格一样遗传吗？我以前从来没有这种想法，但清太郎先生的字和他父亲的字一模一样。

虽然笔迹充满威严，字里行间却透露出他对妻子的爱。几乎所有的信都是以“亲爱的小千”或“我深爱的小千”开头，落款必定是“全世界最爱小千的男人”。

清太郎先生的父母似乎相差很多岁，也许对他的父亲来说，爱妻除了是伴侣，同时也像他的女儿。每个字都喷溅出名为爱情的汁液，而且至今依然润泽，仍未枯竭。

清太郎先生的母亲一定时时刻刻等着先生寄给她的信，她靠着这种期盼，撑过一个又一个分隔两地的日子。

如果他的父亲还活着，会写怎样的信给他母亲呢？

从那天起，我一次又一次，张开想象的翅膀。

元月十五日的早晨，在八幡宫举行的左义长神事中，我的新春试笔被火焰包围。据说火焰蹿得越高，书法就会越进步。我的新春试笔也像飞龙般舞向天空，飞溅出美丽的火星，最后终于烧尽成灰。

但是，代笔人的工作并非只是写出漂亮的字而已。

当然，书写红包袋、奖状或履历表时，的确需要把字写得漂亮。大部分的人都认为，像机器印出来的那种铅字般的字很美，但是，活生生的人所写的文字除了漂亮以外，还必须有味道。

一个人写的字会随着年岁增长渐渐成熟。即便是同一个人，小学时写的字，和高中时写的字当然不一样；二十多岁时所写的字，和四十多岁时所写的字也不一样。到了七八十岁，差异就更大了。就算是十几岁时写字圆滚滚的少女，变成老太太之后，当然也不会再写那样的字。文字，也会随着年龄变化。

不靠整形的自然之美，也包含了渐渐走向成熟的美。一考虑到这些，便完全无法想象如果清太郎先生的父亲仍然在世，会写出怎样的字。

回想起来，我一直和上代两人相依为命，家里从来不曾出现过男人，甚至完全无法想象父亲是怎样的人。

信的内容虽然几乎已经构思完成，却不知道该用怎样的字体来呈现。即使写了一次又一次，仍然觉得不对劲。

我为此痛苦得倒地不起，就像吃坏肚子般满地打滚。即使如此，仍然找不到适合的文字。越写越觉得闯进了迷宫深处。

说白一点，就是我陷入了瓶颈。因为以前从未发生过这种撞墙后完全动弹不得的情况，所以连我自己也惊讶不已，不知所措。

陷入瓶颈的痛苦有点像便秘。很想排泄，却排不出来；虽然有必须排出体外的东西，却无法顺利获得解放。这种感觉令人懊恼，也很悲惨。

当我回过神来，发现自己连续多日在上床后仍然辗转难眠。我很少发生这种情况。虽然想向他人求助，却没有人帮助我。越是着急地觉得要赶快写、赶快写，越是陷入无底的泥沼中。这种时候，真希望能寻求上代的帮助，但上代把头转到一旁，闷不吭声。

这种郁闷感持续了半个月。

早晨，用抹布擦地板、努力让自己振作时，突然听到芭芭拉夫人欢快的声音。

“波波，星期天要不要去镰仓七福神巡礼？昨天我在联售站刚好遇到胖蒂，聊到今年还没喝春酒。这个星期天是农历新年，我就想到星期天文具店刚好休息，你也可以参加。我们在店里喝咖啡欧蕾讨论这件事时，刚好男爵来买面包，结果越聊越开心。”

“所以，男爵也要一起去吗？”

“是啊，他比我们更兴奋。怎么样？我刚才看了电视的天气预报，天气好像还不错。波波，你以前有没有参加过七福神巡礼？”

说句心里话，我完全没有心情去巡礼。对目前的我来说，七福神巡礼根本无足轻重。拒绝的话已经冲到喉咙，又突然觉得去参加似乎也不错。是因为抬头看到的并非上代的照片，而是寿司子姨婆的照片吗？我觉得寿司子姨婆似乎在向我使眼色说：波波，机会难得，你就去参加吧。

“几点集合？”

当我回过神时，发现自己一边擦地，一边脱口问道。我趴在地上，抬头看着日历。那天的确是农历新年。

“现在还没决定；不过男爵兴致勃勃地说，他要为大家准备便当，所以我就负责带糖果。”

芭芭拉夫人开心地说。

“既然这样，我准备一些不会和其他人重复的食物。”

我的话音刚落——

“啊，太好了！你也可以一起去，实在太棒了！我突然开始期待了。只要有期待的事，感冒也会消失无踪。”

芭芭拉夫人连珠炮似的说道。

“波波，祝你今天也是美好的一天！”

“也祝你有美好的一天！”

朝阳从走廊的窗户洒进屋内。当——强烈的阳光似乎发出了华丽的声响，闪亮到几乎令人晕眩，就连在空气中飞舞的灰尘也很美。

巡礼当天，男爵最先出现在约定地点的北镰仓车站前。

“啊，你穿这样去？”

还来不及打招呼，我便忍不住开口问他。七福神巡礼要走有“镰仓阿尔卑斯”之称的健行步道，必须爬山，但男爵竟然穿着礼装和服的纹付羽织袴。

“今天是过年啊，当然要这样穿，但我穿了这种鞋子，你看！”

男爵说着，逗趣地把裤脚拉高。他脚上穿了一双颜色花哨的球鞋。

“我正在请他们做豆皮寿司，你坐在那里的长椅上等一下，其他人应该很快就到了。”

男爵一边说着，一边拿出怀里的香烟叼在嘴上。镰仓规定，路上禁止吸烟，北镰仓应该也不例外，但我怕他会凶我，所以没有吭气。

男爵烟还抽不到一半，胖蒂便精神抖擞地从检票口走了出来。胖蒂走路时就像一颗蹦跳的橡皮球，全身所有隆起的部位都同时抖动着。

男爵慌忙把烟丢到地上，用鞋底踩熄。如果他乱丢烟蒂，我打算立刻制止他，还为此暗中摩拳擦掌，不过男爵把刚踩熄的烟蒂捡了起来，放进藏在和服袖子里的携带型烟灰盒。看来他很守规矩。

芭芭拉夫人也出现了。今天早上因为各自忙着准备工作，所以并没有和她相约一起出门。

“早安。”

人到齐之后，我再度向今天要去巡礼的成员打招呼。

“不是早安，要说新年快乐吧？”

男爵立刻反驳我。但听他这么一说，觉得似乎有道理。今天是农历新年。现在才发现，整个街道的感觉都好像染上了红色，感觉很明亮。

“新年快乐，今年也请多多关照。”

我重整心情，改口说道。四个年纪落差很大的成员在车站前广场上相互问候。天空好像铺了一块蓝布，看不到一片云。

“幸好今天的天气很不错。”

“虽然风有点冷，但只要开始走动，应该就没问题了。”

“七福神巡礼真让人期待啊。”

我们三个女人聊得不亦乐乎时，男爵悄悄离开，走进了“光泉”，可能去拿刚才订的豆皮寿司。我们站着聊了一会儿，男爵手上抱着布包走了回来。里面应该装了四人份的豆皮寿司。当男爵渐渐靠近，醋的香气也越来越强烈。带着一点甜味的浓烈味道，让人忍不住猛吞口水。还没到中午，肚子已经开始饿了。

“出发！”

男爵朝气勃勃地发号施令后，自顾自地走了起来。第一个目标是北镰仓的净智寺。

话说回来，镰仓这一带的寺院真多，说整个城市就是一座大坟墓也不为过。到处都是寺院，难怪经常有人说看到幽灵。

我们沿着被杉木包围的石阶一个劲地往上走。净智寺供奉的是布袋尊。

抵达神社的社务所后，我们依次等候社方人员书写朱印。

“真让人兴奋啊。”

芭芭拉夫人压低声音对胖蒂说。

“就像是集章拉力赛。”

胖蒂也很努力压低嗓门说话，但也许是因为职业的关系，她说话的声音很响亮。

我目不转睛地盯着写朱印的人，看他如何运笔。那个人用吸满墨汁的小楷毛笔流畅地写字。就我的情况来说，我是代笔人，但这种人应该称为“写字人”吗？那个人写完后，在三个地方盖上特大号的印章，便算大功告成。仔细想想，这是不允许失败的工作。会不会不小心写错字？万一写错时该怎么处理？

等排在最后的男爵拿到朱印后，我们又一起走下阶梯。

“现在还只是热身而已。”

男爵看到我喝着宝特瓶里的水，对我叮咛。

“你的年纪最轻，却喘得最厉害。”

他说对了。

我原本还担心芭芭拉夫人的体力，目前看来她完全没有问题。也许是她平时跳国标舞，锻炼了腰腿肌肉的缘故。

“接下来要去哪里？”

走在前面的胖蒂转头问男爵。

“接下来要从天园健行步道走到宝戒寺。从这里直走，从建长寺后方上山。”

男爵很客气地向她说明，和对待我的态度完全不一样。

终于要开始健行了。虽然我在镰仓出生，也在镰仓长大，但只有小时候远足时健行过几次而已。

只不过，光是走到健行步道入口，就已是艰巨的任务。这座山不愧位居镰仓五山之冠，而且建长寺很大，无论怎么走，都走不到看起来像是入口的地方，而且最后还有高难度的险关。

紧贴着悬崖的阶梯一眼望不到尽头。

“啊？我们要走这里吗？”

我忍不住用责备的语气问道。也许我走回北镰仓车站，搭横须贺线一站，去镰仓等他们还比较好。我已经汗流浃背。

我陷入了沮丧。

“吃一颗这个。”

芭芭拉夫人把一颗糖塞进我的嘴里，口中顿时吹过一阵夏天的风。那是强烈的薄荷味道。

“怎么样？是不是很好吃？波波，这样一定就能精力充沛了哟。”

我搞不懂，为什么比我年长很多的芭芭拉夫人反而精力满点。虽然我无法释怀，但胖蒂已经开始步上阶梯，我只好跟了上去。意识有点朦胧，胖蒂的屁股看起来像是奇妙的动物。

这根本是地狱阶梯。正当我这么想时，身后传来男爵的声音。

“这所寺院啊，是建在地狱谷的遗址上呢。”

“地狱谷？”

虽然我已经没有力气说话，但不理会男爵不太礼貌，我只能上气不接下气地应声。

“听说更早之前，这里是刑场。”

男爵说了更可怕的话，但我真的无法继续发出声音了。

小腿从刚才就一直抖个不停。既然是新年，就应该优雅地吃年糕，但现在我觉得自己好像罪人在受刑似的。早知道就不该答应参加什么七福神巡礼。

“波波，这个瞭望台就是终点。”

胖蒂站在很高的地方，满面笑容地向我挥手。

“波波，快到了。”

芭芭拉夫人也露出爽朗的笑容为我声援。

当我好不容易来到瞭望台时，整张脸已经红得像枫叶，头顶几乎冒出热气，其他三个人却已气定神闲地站在瞭望台上看风景。

虽然称不上绝景，但可以眺望整个镰仓。左侧远处也可看见相模湾。

可惜这里并不是终点，只是好不容易走到健行步道的起点而已，要是一直坐在长椅上，屁股说不定会长出粗大的根。我站了起来，这次由我走在最前面。

虽然费了很大的工夫才走到起点，但健行步道走起来很舒服。走在我身后的胖蒂大声唱歌，其他三人也都小声跟唱了起来。胖蒂似乎是Spitz的歌迷。几个大人在健行时唱歌很奇怪。虽然心里这么想，但走在山路上唱歌很畅快，令人欲罢不能。

胖蒂的歌声里没有丝毫犹豫，也为其他人带来了很大的勇气。到了下坡，汗水渐干，浓郁的泥土芳香猛然震撼着平时沉睡的大脑的某个部分。走到一半时，我庆幸自己参加了这次新年活动。

走了将近一小时，从红叶谷走下山。接下来的路我很熟悉，即使闭着眼睛走也没问题。

“走了山路之后，肚子就饿了。”

芭芭拉夫人说。

“我也是。”

胖蒂很有精神地表示赞同。

“要不要找个地方吃午餐？”

男爵提议。但是，这附近有可以吃便当的地方吗？镰仓虽然有很多寺院和神社，却很少有可以轻松坐下来饮食的公园。

“这里的话……”

听到男爵开口，不祥的预感掠过心头。我的预感果然正确。

“离山茶文具店最近。”

幸亏我早上出门前打扫过。

“我一直很希望有机会在文具店吃饭呢。”

胖蒂像个孩子似的兴奋说道。

“波波，我们可以去打扰吗？”

芭芭拉夫人看着我的脸，关心地问。

我不置可否地应了一声。我家的确离这里最近，但芭芭拉夫人家就在我家旁边；只不过没有人提这件事，因为大家都不好意思主动要求去年长的芭芭拉夫人家。

男爵一声令下，最后决定去山茶文具店吃午餐。

我从后门进屋后，打开店门，立刻腾出可以容纳四个人的空间。芭芭拉夫人和胖蒂坐在为上门委托代笔的客人准备的圆椅凳上，男爵坐在我平时在收银台使用的木椅上。我自己则把坐垫放在门框上坐了下来。

我急忙为火炉点了火，去后面厨房烧了开水，在平时备而不用的大茶壶里泡了满满一壶京番茶，然后把茶杯和茶碗一起放在托盘上走回店堂。每个人的面前都放着豆皮寿司，我把茶倒进四个各不相同的茶杯和茶碗后，大家一起开动。寿司盒外头飘出轻柔而酸甜的醋香。

大家默默吃着豆皮寿司。略偏硬的米饭粒粒分明，一起塞进咸中带甜、湿润多汁的薄薄豆皮中。

“我第一次吃到这么好吃的豆皮寿司。”

胖蒂说话的表情好像快哭出来了。

“咦？胖蒂，你不知道光泉的豆皮寿司吗？”

“不知道。”

不知道是否因为急着回答，米粒不小心呛进喉咙了，她满脸通红地咳嗽起来。

“请喝茶。”

我把装了京番茶的茶杯递到胖蒂的手边。胖蒂咕噜咕噜地把茶喝完了。

我从背包里拿出四颗原本打算在饭后吃的蜜柑。早知道回来这里吃午餐，我就不必扛着四颗蜜柑健行了。这是几天前在附近蔬果店买的爱媛蜜柑。

饭后，大家拿着蜜柑吃了起来。我犹豫着要不要吃最后一个豆皮寿司，但最后决定留下来。我的那颗蜜柑既不甜，也不酸，没什么味道。

男爵吵着要喝餐后咖啡，所以我们又一起去了伯格菲尔德面包店。我平时在家不喝咖啡，因为只冲一人份的咖啡也不好喝。虽然如果在柜子深处翻找一下，应该还有寿司子姨婆生前常喝的速溶咖啡，但男爵不会想喝这种咖啡。杯子可以等回来之后再洗，于是我和大家一起走出了文具店。

途中去了镰仓宫，所有人都丢了除厄石。虽然我在这附近出生、长大，但还是第一次尝试这种仪式。对着素烧的薄盘吹一口气，让厄运转移到小盘子上，再用力丢向石头。大家都神情严肃地丢着陶盘。

啪啦。芭芭拉夫人丢盘的声音最清脆。

“太好了！这样我就可以彻底甩开厄运了。”

她兴奋地做出胜利姿势。

所有人都消除厄运后，我们从荏柄天神社前经过，走进狭窄的巷道内。寒冬的镰仓没什么人，来往的行人都是本地人。走在我们前面的柴犬举起一条腿，对着电线杆撒尿。看着那道抛物线冒出的热气，觉得更冷了。

走进伯格菲尔德面包店喝咖啡时，天气越来越诡异，天色明显暗了下来。今天的预报完全不准。

“早上天气还那么好。”

所有人都看向窗外，好像随时会下雨的样子。

“要不要先离开这里去宝戒寺？”

听到男爵的提议，大家纷纷站了起来。

因为来往车辆很多，所以我们排成一列，快步走在大马路上。虽然上午兴致勃勃地出发展开七福神巡礼，但一直在闲逛。仔细想一想，才巡礼了一个地方。

“宝戒寺供奉的是哪一位神明？”

胖蒂问。

“应该是毗沙门天吧。”

男爵回答。

“秋天的白色胡枝子很美，我常常去。”

芭芭拉夫人接着说道。虽说我常经过宝戒寺门口，已经很熟悉了，但从没进去过。最大的原因，就是要收门票。

我从零钱包里拿出硬币，付了一百元的拜观费。一踏进寺内，本殿前的梅树上开着红色和白色的花，宛如色彩缤纷的米果“雏霰”般可爱。我闭上眼睛深呼吸，淡淡的甜蜜芳香流入身体深处。虽然天气还很寒冷，但春天的脚步已经渐渐近了。

“真漂亮。”

我睁开眼睛，胖蒂站在我的旁边，和我一样眯起眼睛，吸着香气。从侧面看，胖蒂的胸部更壮观。

写完朱印，我们正在讨论接下来要去哪里，天空飘下了一滴又一滴的雨。

“先去八幡宫再说。”

芭芭拉夫人提议，其他人都表示同意。今天是农历元月初一，是喜庆的日子。

我们一边注意着大型游览车，一边走在大马路上，从正面穿过鸟居。八幡宫的弁财天供奉于源氏池的中岛上，但我很怕去那里，因为中岛上有很多鸽子；放眼望去，到处都是白色的鸽子。成群的鸽子太可怕了。虽然我名叫鸠子，却很怕鸽子，这听起来很奇怪，不过目前为止，我从不觉得鸽子可爱。

我战战兢兢地参拜完毕，写了朱印。今天总算巡礼了三座神社佛阁。

大家冒着小雨，很自然地走向神社内部。所有人应该都想着同一件事。要是元旦当天来八幡宫参拜，都得大排长龙，所以无意来凑热闹；但农历新年就可以如愿参拜。我以前从来没有走上阶梯参拜的经验，但今天是特别的日子，所以打算走到本殿前，恭敬地拍手参拜。

然而，我还是觉得有点乡土风情的由比若宫比富丽堂皇的八幡宫更有魅力，而且好像更能够保佑我。

爬上阶梯中段，看到了大银杏树。我之前就知道这棵银杏树被雷劈倒了，但亲眼看到，还是很难过。尽管将大银杏再长出来的新枝围了起来，不过看起来还很脆弱。最后，我们四个人并排站在一起参拜。

我们移动到人少的地方，讨论接下来的行程。

我不想打着雨伞继续七福神巡礼。虽然我没有说出口，但大家的想法似乎差不多，胖蒂在绝妙的时机提议：

“要不要改天再继续？”

不愧是小学老师，决定很果断。

“是啊，看这个样子，雨似乎不会停。”

“有道理，那就下次再完成接下来的行程。”

“那就在这里解散。”

巡礼行程就这样结束了。如果大家都还是十几二十岁的年轻人，也许会一鼓作气，决定在雨中继续巡礼。

男爵说，身体有点着凉，要直接去稻村崎温泉。胖蒂觉得是好主意，问我要不要一起去。不过去稻村崎的话，回程很麻烦，所以我婉拒了。芭芭拉夫人晚上要上国标舞课。

我们目送男爵和胖蒂走向车站的方向。

“波波，你要直接回家吗？”

芭芭拉夫人问我，我有点犹豫不决。直接回家，感觉有点不尽兴，所以不怎么想回家。

“那这个给你用。”

芭芭拉夫人借给我一把折伞。

“那你呢？”

“我有这个啊，所以不必担心。我打电话叫达令来接我。”

她从背包中拿出雨衣穿了起来，灵活地操作着原本放在口袋里的智能型手机，露出一本正经的笑容打电话。

“那我就先走了，今天谢谢啦。”

我简短地打完招呼离开，以免影响她打电话。芭芭拉夫人笑着向我挥手。

我懒得撑伞，尽可能走在大树下。八幡宫西侧有一片像太古时代森林般的区域，我灵机一动，走进了近代美术馆的大门。那里是躲雨的好地方。

参观完展示品，我去咖啡室点了柠檬汁。烟雨蒙蒙的莲池出现在敞开的窗户外。每次来这里，都觉得自己好像闯入了迷宫深处，分不清楚目前活在哪一个时代。

柠檬汁非常酸又非常甜，但不喝完太浪费了；结果，我边欣赏着水池，边把它全都喝完了。除了我以外，没有其他客人。一整面墙的壁画、怀旧的蕾丝窗帘和橘色的椅子，都静静竖耳细听我的心声。

这时，我发现体内有种蠢蠢欲动的感觉。

起初还以为是想上厕所，但感觉不一样。有动静的并不是我的肚子，而是我的心，就像一颗小种子冒出了柔软的芽，轻轻推动了我的心房。

些微的征兆渐渐变成了明确的胎动。一直排不出来，令我痛苦不已的东西，如今突然寻求出口。

我想要写，必须赶快释放，马上，就在这里。那种感觉就像突然要生孩子。

清太郎先生父亲的字想挣脱我的手指。那的确就像阵痛。我不想错过这种征兆，必须赶快握笔。

我慌忙打开背包，结果竟然没带纸笔。为什么偏偏这种时候没有纸笔？真是笨死了。我这个代笔人太失职了。但是，现在没时间反省。眼前的当务之急，就是要赶快写下来。

“打扰一下！”

我大声叫着在吧台内清洗杯子的店员。

“可不可以跟你借纸笔？只要能写就好。”

店员可能被我紧张的样子吓到了，一脸错愕的表情。

“只有这个。”

店员不知所措地从围裙口袋里拿出圆珠笔递到我面前。

“至于纸，只有为客人点餐时用的回收纸……”

店员说话时，一脸歉意地看着我。

“那种纸就好，可以给我吗？”

我着急不已，很怕在交谈时，清太郎先生父亲的字会再度陷入沉睡。

“如果这些可以用的话，还有很多，需要的话再告诉我。”

我从店员手上接过圆珠笔和那沓纸，道了谢，立刻回到自己的桌子。我平静心情后，轻轻拿起圆珠笔。那是我用左手写的情书。

“这完全就是我爸的字。”

清太郎先生看了信之后，用力点了两三次头，看着我的眼睛说道。我也渐渐有了强烈的自信，认为也是如此。清太郎先生的父亲所写的字，一定就是这样的。

“走球人生”是清太郎先生的父亲以前自创的词。他认为地球就像一颗大橡皮球，自己的人生就像自由地走在这颗球上。也许他是用幽默的方式形容自己在世界各地忙碌奔波的人生吧。

我把为客人点餐使用的冰冷回收纸贴在手工制作的底纸上，除了文字周围用压花点缀，纸面也都贴满了压花，贴上薄透的和纸后，再涂蜡。

之前曾听清太郎先生说，他的母亲很爱花，在横滨的家里种了很多花。

亲爱的小千：

我正在欣赏很美的景色，
可以在这里清楚地看到你。
我已经从地球人生毕业了，
所以，当我们下次再见面时，
要不要每天牵着手，尽情地散步？
小千，我喜欢你的笑容。
在下次见面之前，你要多保重。

全世界最爱小千的男人

这是一封从天堂寄来的信。把天堂想象成美丽的花田，是不是太单纯了？但我觉得，如果清太郎先生的父亲真的从天堂寄信给他的母亲，一定也会这么做。

“这是我爸的字。”

清太郎先生默默注视那封信片刻，再度小声喃喃说道。

“但是，你从哪里找到这么多四季的鲜花？”

清太郎先生轻轻抚摩着表面的压花问道。压花贴了好几层，其中还有四叶幸运草。

“这个部分可能最辛苦。”

我据实以告。起初，我打算把在近代美术馆的咖啡室所写的内容影印在古董明信片上，但如此一来，虽然能够留下圆珠笔的笔迹，却无法呈现笔压，也就失去了身临其境的那种感觉，所以最后决定直接使用原来那张纸。

“如果是春天或是夏天，到处繁花盛开，根本不必伤脑筋。”

不巧的是，目前正值隆冬。虽然镰仓已经有一些梅花绽放，但只用梅花太单调了。

“玫瑰、紫罗兰、水仙、绣球花，还有这种红色的小果实是草珊瑚吗？我对植物不是很熟。”

如果是大型的花朵，就用镊子摘取花瓣。如果是小花，就直接将绽放的花朵贴上去。除了花和花瓣以外，还加入了树叶和果实。

“这好像是大花四照花的果实。”

在写完那封信的几天后，我去田乐辻子之路散步，想寻找花朵，正好遇到带学生进行课外教学的胖蒂。我简单告诉她我正在找的东西，没想到当天放学后，她就带了学生去年做的植物采集笔记来找我。她说这些笔记已经用不上了，她正打算丢弃，所以我可以尽情使用。这就是所谓的“及时雨”。

“这样装饰后，看起来就像珠宝盒一样。”

清太郎先生有点腼腆地说。五彩缤纷的花瓣看起来的确很像宝石。

“它们应该还有生命吧。”

清太郎先生看着我的眼睛，向我确认。

即使已经离开了地面，即使不再进行光合作用，这些花仍然有生命。死亡的同时，或许也代表了永生。我在进行作业时，也一直在思考这个问题。

“和我爸一样。”

沉静片刻后，清太郎先生嘀咕着。

清太郎先生说，母亲收到来自天堂的情书后，发自内心地感到高兴。之后似乎领悟了什么，不再吵着要回家。得知她一直把那封信抱在胸前当成护身符，我也松了一口气。

然后，她静静地离开了，走得很安详。

“一切都是拜那封信所赐。”

清太郎先生在完成母亲的头七后，特地来山茶文具店告诉我这件事。那是我把信交给他不久后发生的事。我有点担心，是否因为我的代笔，让他母亲提前起程，但这种担心似乎是多余的。

“我妈应该终于放心了。”

清太郎先生露出平静的表情。

“在那之前，她整天露出可怕的样子，好像很生气。但是，收到那封信的瞬间，她终于露出了久违的笑容。光是这样，我和我姐姐就……”

清太郎先生说到这里，慌忙从口袋里拿出手帕。我悄悄站了起来，去后头泡了热可可。虽然春天的脚步已近，但镰仓仍然寒冷彻骨。

“请喝吧。”

我在马克杯里泡了热腾腾的可可，端了出去，发现清太郎先生挺直身体坐在那里。

“我妈带着我爸写给她的所有信件去了天堂。”

“是吗？”

那么多信件，一定把棺材都塞满了。

“好棒哦。”

如果可以，我希望自己也能够带着满满的情书上天堂。我和清太郎先生面对面，静静地喝着热可可，心里想着这些事。

在举行书信供养仪式的几天前，我正在用刷子刷洗刻着“文冢”的石碑。

“昵……好。”

一名陌生的年轻人突然出现在身后，他的日文说得很不地道。风信子的嫩芽仿佛海豹般，从地面微微探出头。

“窝是从……意大利来的安纽罗。嬷嬷让我……带信来。庆你叫我……纽罗。”

纽罗说话的声调很奇怪，好像在陡坡冲上冲下似的。然后，他向我伸出右手。

“很高兴认识你。”

纽罗的一双眼睛就像圣诞树树尖上的银色星星般闪闪发亮。看起来不像是坏人。

“昵有时间吗？要不要……进去喝杯茶？”

我好像也感染了纽罗的声调，说话变得有点奇怪。

“窝有很多……时间。明天……猴天都没问题。”

“没问题”这三个字的发音完美无缺。

我和纽罗一起走进山茶文具店。

“我来泡茶。”

我请纽罗坐下，走到屋子后头。虽然我还不了解情况，但纽罗的日文应该有办法慢慢说清楚，而且他一定是有什么特别的事，才会上门。

“不好意思，家里只有京番茶。”

我把茶壶里的茶水倒进杯子时，纽罗跟小狗一样，用鼻子奋力嗅闻着。

“很……香，像意大利……冬天的维道。”

近距离观察后，发现纽罗的鼻子很挺，皮肤很细致，脸颊好像刚出生不久的婴儿。

“请喝。茶有点烫，小心点。”

虽然我不知道他比我年长或年幼，但如果使用复杂的敬语，他可能也听不懂，所以干脆省略多余的话。他一脸微妙地喝着京番茶，也许觉得味道很奇怪吧。

我坐直身子后，纽罗便看向我，然后打开身上背包的拉链，慢慢从里面拿出一只纸袋。令人惊讶的是，那个大背包有一大半都被那纸袋占据了。

“这是……昵的奥嬷……全部写的。”

奥嬷？我完全听不懂是什么意思。

我满腹狐疑。纽罗继续向我解释。

“窝的嬷嬷，日本人。窝的爸爸，意大利人。窝的嬷嬷，在意大利，和昵的奥嬷，pen friend。pen friend的……日本话……怎么说？”

纽罗只有说“pen friend”时卷着舌头，说得很流畅。

但是，嬷嬷……他应该是想说“妈妈”，但听他这么说，忍不住想笑。

我想起纽罗的问题，慌忙回答：

“呃——你是说笔友吗？”

我很没自信地回答。

“对……对……对，笔友……笔友。这个日本话……太难了，窝……一直……记不住。”

纽罗说。虽然他觉得自己在说“笔友”，但我听起来觉得像“壁友”。

“所以，我阿嬷和你妈妈是朋友吗？”

我在提问时特地强调了“阿嬷”和“妈妈”的发音。我完全不知道上代有朋友嫁给意大利人。

“开始……不是……朋友，但是在壁友后，就变……朋友。嬷嬷……很喜欢……昵奥嬷。”

“这样啊，我完全不知道这件事。不知道她们有没有见过面。”

纽罗似乎不太理解“见过面”的意思，皱起了眉头。

我改用更简单的方式问。纽罗陷入了思考，然后似乎恍然大悟，突然一口气说道：

“妹有妹有妹有妹有，她们妹有……见过面。窝的嬷嬷……很想见昵……奥嬷，想来……探病，但是，妹办法来。因为，窝爸爸的……嬷嬷……也生病，所以，不能从……意大利……去日本。爸爸的……嬷嬷，已经离开了。”

“是吗？所以她们虽然没见过面，但一直通信。”

“对……对……对……对，信上都写……鸠子的事，所以，窝的嬷嬷……把信……还给昵。”

“骗人的吧？”

我脱口而出。

“窝……不是骗子。纽罗……不骗人。”

纽罗快哭出来的样子。

“啊，对不起，我不是这个意思，只是有点难以置信。”

我连忙补充。

“昵看了……这些……就知道了，昵的奥嬷……很好，很爱昵。”

不可能有这种事，但是，泪水在不知不觉中涌上眼眶。

“纽罗……要先走了，很高兴……见到昵。”

“啊？这么快就走了吗？那接下来要怎么办？”

“窝要……学习更多日本话，窝是……来留学的。”

虽然我不是问他这些，但纽罗落落大方地回答，所以我也没有打断他。

“谢谢你特地送来，欢迎你随时来玩。下次我会带你参观镰仓，如果有任何问题，欢迎随时和我联络。”

“谢谢呢，grazie（谢谢）。”

纽罗再度背起了背包，现在背包感觉变轻了很多。纽罗用生硬的动作连续鞠了几次躬之后便离开了，桌子上放着上代寄给住在意大利的笔友的书信。

但是，我不想马上看这些信。

也许是因为害怕见到我所不认识的上代，所以，那些信仍然放在纸袋里。

那纸袋是意大利超市的吗？摸起来的感觉很朴实，上面印了蔬菜和水果的图案。

直到那天傍晚，我才终于有了想看那些信的念头。白天的时间在不知不觉变长了，山茶文具店打烊的时间也更晚了。

春天的脚步渐近时，就会很想骑脚踏车。难道只有我这样吗？

我急忙关上店门，把装了信的纸袋放在脚踏车前的篮子里就出发了。面对上代，需要有相当的心理准备，我无法在家里面对她，她不是我能够轻易对付的对手。

这种时候，就要去“Sahan”。

开在铁轨旁的“Sahan”就在车站附近，可以吃到女老板亲手制作的温和料理，一旦卖完就打烊了。所以我用力踩着踏板，加快了速度。

我把脚踏车停在店门口，沿着狭窄的楼梯走上去。幸好还没打烊，而且今天晚上供应的是白饭和味噌汤定食。这家餐厅隔周轮流供应面包和白饭，我绝对是白饭派。

因为觉得口渴，所以除了定食，我还点了啤酒。不知道为什么，每次来这家餐厅都觉得很安心。我接过鸭子形状的牌子，在窗边的吧台座位坐了下来。坐在这个座位，镰仓车站的站台便能映入眼帘。

我喝了一口啤酒，让啤酒缓缓流入喉咙深处，然后把那个纸袋静静地拿到腿上。里面真的装了很多信。不用说，每封信的收件地址都是意大利，还用红色铅笔写上“air mail”（航空邮件），“Italy”这几个字则用蓝色铅笔框了起来。

信封并没有用西式信封，而是选择日式信封。虽然也有一些信封上头有图案或颜色，但大部分都是普通的白色双层信封。年代久远的信封已经变了色，弄脏的部分变成了一点一点的污渍。

仔细想想，我从来没有看过上代写英文。不知道是否担心写错，英文字的笔迹特别清晰。

等定食送上来的这段时间刚好可以看信。我随手抽出一封，从信封里取出信纸。

上代的声音突然在耳边响起。

我抬起头，和在车站站台等下一班列车的女子四目相交。她的年纪看起来和我相近，她似乎在对我微笑。还以为是熟人，但仔细一看，自己并不认识她，却仍微笑以对。

信里的确是上代的字；句尾用“☐”代替语助词，也是她特有的习惯。但是，这和我认识的她有着微妙的差异，只是我无法明确说出哪里有怎样的不同，让我着急不已。

难以相信，上代竟然会在信里用“PS”，因为她曾耳提面命地告诉我，不可以用“PS”，一定要用“又及”；而且，我完全不记得以前曾在饭桌上吃过奶酪。从学校放学回家时，每次都吃刚蒸好的地瓜，这件事想忘也忘不了。

Buongiorno!（早上好）

我正在用大锅子蒸地瓜⧄

你儿子的感冒是否已经痊愈？

你先生和儿子同时感冒，

想必会很辛苦。

镰仓目前仍然很冷⧄

前几天，鸠子有生以来第一次吃了乳酪。

得知在意大利，小孩子从小就吃乳酪，

我家也马上跟进了。

听说乳酪对身体很好。

记得你上次在信中提到的，

好像是蓝纹乳酪中的戈贡佐拉乳酪？

虽然信里说道，

「将大把戈贡佐拉乳酪放在刚煮好的白饭上，淋上酱油，加上柴鱼片后再吃」，
但我完全无法想象到底是什么味道，
所以也想试试看，于是去超市买乳酪，但找了半天，并没有找到戈贡佐拉乳酪……
就先买了卡门贝尔乳酪尝试，
没有特殊的味道，非常好吃，
我打算以后让鸥子慢慢熟悉乳酪的味道⧄
如果有朝一日，
能带着鸥子一起去意大利，
和你，还有你的家人见面，
那就太令人高兴了。
鸥子快回家了，
她每天回家都喊着肚子饿，

我打算把蒸好的地瓜加点奶油，
让她当点心吃。
现在突然想到，也许不加奶油，
改用乳酪也不错。
我记得冰箱里还有剩下的卡门贝尔乳酪。
每次都写一些无足轻重的事，
这次也啰啰唆唆写了一大堆，
就此搁笔
希望你自己多保重⧄
PS：
下次请务必教我，你的拿手菜做法，
在意大利生活，每天都吃意大利面吗？
我是老派人，餐桌都变不出什么花样。

我发现信封背面用红色圆珠笔写的“No.”是这些信的编号。这不是上代写的，应该是住在意大利的静子女士后来才写上去的。

有些信里长篇大论地分享了上代对某本书的读后感，有时候也会开导静子女士。山茶开了。很珍惜的茶碗打破了。大雨导致河川暴涨。有蛇爬进了庭院。有时聊一些家常事，有些信里也提到为寿司子姨婆的家庭环境感到担心。

看到一半，定食送了上来，于是暂停读信。我吃着葱花白菜春卷，茫然地抬头望着天空。纽罗说得没错，无论多轻松的信，无论多沉重的信，我都必不缺席。鸠子、小鸠、波波、孙女、自大的小女孩。虽然她用不同的方式称呼我，但到处都有我的身影。

我拼命吃着眼前的菜，以免感情溃堤。来Sahan果然是正确的。我把剩下的啤酒一口气倒进喉咙。吃完定食后，我又继续读信。下一封信的内容，完全是关于我的。

这一定是在我身处叛逆期时所写的信。

不知道是否边哭边写，有些地方的字迹被泪水模糊了，字迹静子：生活真是充满了艰难。
最近我切身体会到这一点。如果是母亲，
或许会不一样，但我和鸠子年龄
相距甚远，能和她相处的时间也不多了。
也许我一直以为，如果是鸠子的话，
一定能够体会，一定能够回应我的期待，
内心始终抱着这种天真的想法。
我认为自己是在教导她，但她似乎
并不这么认为。她哭着对我说，
叫我不要继续剥夺她的人生。
虽然我原本以为一切都是为了她好，
但其实只是我的一厢情愿……
然而，我现在不知道该怎么和她相处。

我一直深信，严格管教就是爱她。
想到鸠子多年来因此受了不少委屈，
忍不住发自内心感到悲哀。
我和她之间，会有和解的一天吗？
我现在甚至无法想象这种情况。
你在那里的生活已经安定了，
但和她一起去意大利，
却变成了遥不可及的梦想……
对不起，这封信全都在写这些东西，
但是，我只能和你聊这些事。
今天，我真的觉得日子过得很痛苦，
但写完这封信之后，心情稍微平静了一些。
静子，谢谢你总是向我伸出援手，

我由衷地感谢你。
下次写信，我会写一些开心的事，
轻松的事。

也很潦草，简直不像上代所写的字。而且整封信很少换行，直式信纸上写了满满的字。

结完账，我走出餐厅。太阳已经下山，回家的路途是一路上坡。

我还恨上代吗？所以即使她已经死了，我仍然流不下一滴眼泪？

说起来很奇怪，我至今仍不觉得她已离我远去，总觉得只要转过这个街角，她就会突然出现在我的面前。

回家后，我继续看那些还没有读完的信。按照静子女士编的编号顺序来读，果然就能很容易了解前后状况。

后半部分几乎都在谈和我之间的冲突。

我从信里感受到上代的年华渐渐老去。她似乎已经不在意字写得漂不漂亮，所以字迹潦草，歪七扭八，有时甚至写错字。虽然她上了年纪之后，仍然没有弯腰驼背的情形，但她的字的的确确老化了。

然后，我发现了一个事实，不禁感到愕然。

我从来不曾写信给上代。她也永远不可能再写信给我了。

我看着第一百二十三封信。

静子：

这也许是我的最后一封信，

我正在医院的病床上写这封信。

说不定，我再也见不到鸠子了，

虽然明知道无法再见到她，

却还是抱着一丝期待，

期待能听到她的脚步声。

我一直在欺骗鸠子，

是我夺走了她的母亲。

不论是自己的女儿或是孙女，

我都无法建立良好的关系，

问题应该出在我的身上。

因为我不想孤单一人，

所以，把鸽子从女儿手中抢了过来。
当年，我女儿想带着还是婴儿的鸽子离开，
但我不让她这么做。
事实上，关于这家店，也是个弥天大谎。
我编了个故事，
说这是祖先世世代代传承下来的代笔老店，
其实只是我自己开的文具店，
没想到鸽子却深信不疑。
这个家根本不可能有什么值得传承的历史，
一切，全都是我杜撰的谎言和童话故事。
鸽子变得叛逆，
我对这件事丝毫没有罪恶感，
但我现在发自内心想向鸽子道歉；

然而她甚至不愿意告诉我，
她现在到底在哪里。
如果我身体还很健康，一定会找遍整个日本，
向她道歉，让她能摆脱束缚，让她自由。
对不起，对你说这些也无济于事。
人生不如意事十之八九，
而我一事无成。
人生稍纵即逝，真的是转眼瞬间。
静子，希望你尽情、充分享受自己的人生。
我来日已经无多，
如果一个月后，你还没有收到我的信，
代表我已经离开了这个世界。
静子，你是我独一无二的好朋友，

你的存在，不知拯救了我多少次，
难以相信我们至今不曾见过一面。
鸠子年幼时，我曾经梦想等她长大后，
要带着她一起去意大利见见你和你的家人，
尝尝真正的意大利料理，
再逛逛一些小文具店，
但这个梦想将永远只是梦想。
坦率并不是一件容易的事，
然而正因为是在未曾谋面的你面前，
我才能更坦诚地说出心里话。
医生要来巡房了，
我不知道该如何向你传达目前的心情，
总之，grazie，

谢谢你这么多年来的陪伴，
我将在遥远的天际，
为你们全家的幸福祈祷。

这封信上的字格外宁静而朴实。

这封信，真的成为最后一封信。

我把用廉价圆珠笔写的第一百二十三封信翻了过来，上代的笔迹留下了凹凸的痕迹，就像点字一样。

我闭上眼睛，用手指读着这些痕迹，从背面轻轻抚摩这些文字。我从来不曾这样抚摩上代，即使接到通知得知她生病后，我也从没去过医院。我既不知道她的皮肤有多柔软，也不知道她的骨骼有多坚硬。

那天晚上，我把上代寄给静子女士的最后一封信放进被窝，抱着那封信入睡。因为我觉得，比起在她的牌位前合掌，这样更能近距离感受到上代。如果能像这样，和上代睡在同一床被子里，哪怕只有一次就好，我的人生、她的人生也许都会不一样，然而，如今我只剩下上代写给笔友的信。

昨天的天气预报明明说今天会下小雨，没想到是个晴朗的好天气。今天是农历二月三日，是书信供养的日子。

对我而言，这是相隔数年后第一次进行书信供养。一大清早，金黄色的美丽阳光便普照大地。

我像往常一样烧了开水，泡了京番茶，用抹布擦地。之后在水桶里装了水，拿到后院。这一带有很多都是木造房子，只要其中一幢房子起火，转眼之间就会波及左邻右舍。所以上代对我耳提面命，嘱咐我在供养书信时，一定要先装水以防万一；焚烧书信时，也绝对不能离开。

几天前才微微探头的风信子嫩芽突然长高了，我换了供在文冢前的水，蹲在文冢前合起双手。

后院完全没有整理。寿司子姨婆在店里帮忙那阵子，曾在后院整地，种植蔬菜和花，但我回来之后，便完全没有整理。夏天时长满的杂草已经枯萎，简直惨不忍睹。

这次客人寄来要进行供养的书信装了四大箱。我把纸箱搬到缘廊附近，把里面的信逐一取出，在庭院的角落堆成了小山。

首先，将明信片和信件分开；信件的话，要把信纸从信封里拿出来，将信纸和信封分开放。至于贴在明信片和信封上的邮票，则小心地沿着周围剪下，以免剪到齿孔。因为即使已经盖上邮戳的邮票，日后仍然可以派上用场。

将日本和国外的邮票分开后，再捐给公益团体，这些团体会用于援助发展中国家。小时候，都由我负责用剪刀把邮票剪下来。

书信基本上都是纸张，但材质还是有微妙的差异，焚烧时的情况也不相同，所以在堆放时，要避免将相同的纸质堆在一起。虽然无法一概而论，但印了照片的明信片类，通常要花更多时间才能烧完。

为了能够充分燃烧，我不时混入干燥的落叶。堆到一定的高度后，先点了火，然后再继续把纸箱内剩下的信件丢进去。

我记得上代会特地用打火石取火，但我不知道使用方法，也不知道打火石放在哪里，所以就用普通的火柴点火。去年秋天，我受男爵之邀去原为银行的那家酒吧时，带了这盒火柴回来。

我用火柴点燃卷起的报纸作为火种，然后塞进信件小山里，但无法顺利点火，中途就灭了。

连续失败了好几次，太阳从后山探出脸，雾霭让周围的景色变得朦胧。不知道哪里飘来了甜蜜的香气，是山茶开了吗?

我想起上代生火时，曾用扇子扇风，于是从缘廊走进家里，拿出扇子。

这次我铆足全力，用火柴把报纸点燃后，拿着前端呈丫字形的树枝将火种塞进信堆里，再调整小山的形状，在火熄灭前，用扇子用力扇。用一只手扇的风量可能不足，所以我双手各拿了一把扇子，拼命扇着风。

啪嗒啪嗒。啪嗒啪嗒。吵闹的声音在三月的早晨回响着。

不知道是否因为我用双手扇风奏了效，信件小山开始慢慢冒出烟。报纸的火种似乎引燃了一部分信纸。烟雾持续升上天空。终于突破了第一道难关。

我坐在缘廊上看守，喝着京番茶喘息时——

“你今天一大早就很卖力做事呢。”

芭芭拉夫人踮着脚，向庭院内张望。

“在烧落叶吗？”

“嗯，差不多啦。”

即使告诉她是书信供养，她应该也听不懂，所以我随口应了一声。

“好香啊，你在烤地瓜吗？”

芭芭拉夫人用力吸着鼻子。我从来没想过，在进行书信供养的同时还可以烤地瓜；但烧落叶时，一定会顺便烤地瓜。

“虽然现在没有烤，但听起来是好主意。”

我慢慢喝着茶回答，不知道哪里传来黄莺的啼叫，但叫得不是很好听。

“波波，我可以拜托你一件事吗？”

过了一会儿，芭芭拉夫人吞吞吐吐地问。

“什么事？”

“我可以把家里的年轮蛋糕放在那里烤吗？”

我沉默刹那后，很有精神地回答：

“当然可以啊！”

虽然美其名曰书信供养，但其实和烧落叶差不多。

“那还可以烤饭团吗？我还没吃早餐。”

“可以啊，可以啊，不管你喜欢什么，统统拿过来。”

“哇，太开心了！这就是所谓的户外活动吧？我一直很想试试，哪怕只有一次就好。波波，你该不会也还没吃早餐吧？”

芭芭拉夫人的声音越来越开朗。

“是啊，今天我打算处理完这个再吃早餐。”

“既然这样，机会难得，我们要不要用烧落叶的火来做早餐？”

“好主意。我想，只要用铝箔纸包起来，应该就没问题。”

“好，那我现在就把家里所有东西都拿过去。托你的福，今天又是一个特别的日子，太谢谢你了。”

“彼此彼此。”

我回头对她说话时，她已经不见了。

书信小山冒着火，书信供养很顺利。

芭芭拉夫人半途把各式各样的食材放进火里，简直变成了篝火料理的试验场。

饭团、年轮蛋糕、马铃薯、卡门贝尔奶酪、炸鱼浆片、法国面包。卡门贝尔奶酪简直是绝品。

不知道是巧合，还是放在篝火中烤的时间恰到好处，奶酪外侧的皮变得柔软，里面则变成浓稠状。我们或是用法国面包蘸取浓稠的部分，或是淋在饭团上。最出乎意料的是，和炸鱼浆片是绝妙搭配。

“这简直是完美的组合。”

芭芭拉夫人用炸鱼浆片蘸取大量变得浓稠的奶酪，露出满面笑容。

“真想喝白酒。”

我随口说道。

“和香槟应该也很合吧。”

芭芭拉夫人说完，突然露出严肃的表情说：“我家有一瓶别人在去年圣诞节送我的香槟，波波，你要不要喝？”

“啊？现在吗？”

“偶尔奢侈一下有什么关系，而且是半瓶装的。”

没想到转眼间就变成了这样。当我回过神时，芭芭拉夫人已拿着半瓶装的酒瓶出现在我面前，我也准备好两个酒杯等她。芭芭拉夫人的加入，让书信供养仪式也变得热闹起来。

打开瓶塞时，发出“啵”的响亮声音。

“这不是粉红香槟吗？这么好的香槟，和我一起喝没关系吗？”

“正因为是和你，所以才想要喝啊。”

美丽的粉红色香槟在杯子中发出闪亮的微光。

“干杯。”

“祝今天也能过得幸福。”

在朝阳下，而且在户外喝香槟的感觉很特别。

“啊，真好喝。”

“活着真好。”

芭芭拉夫人夸张地说着。

我不时加入书信，让火持续燃烧。

火很奇妙，无论看多久都不会腻。数千、数万、数亿句话语被火包围，升上了天空。我吃着温热的年轮蛋糕，怔怔地看着这一幕。

当我把留在杯底的最后一口香槟喝完时，芭芭拉夫人静静地问我：

“波波，你在烧信吗？”

我以前从来没跟她提过书信供养的仪式。

“是啊，我在烧信。”

“全都是别人写给你的信吗？”

“怎么可能？我只是代替别人做这件事而已。”

这一次，我没有把上代寄给住在意大利的笔友静子女士，经过一番波折再送到我手上的一百二十三封信放进去。我犹豫了很久，觉得暂时还想留在身边，所以又放回了意大利的纸袋。

“原来是这样啊，我还以为你在烧写给你的信，还觉得你真受欢迎。”

“怎么可能？我怎么可能会收到那么多信？又不是偶像明星。”

“你别谦虚了，你就是镰仓的偶像啊。”

我摸不透这句话的意思，闭上了嘴。

面对火，即使不说话，也不会感到焦急；相反，可以竖起耳朵听见对方的心声。黄莺又啼叫了。

呵——喀，喀喀喀，喀，喀。

那个声音，听起来好像在说落语。

黄莺叫得太不好听了，我忍不住笑了起来。

“决定了。我可以再放东西进去吗？”

“你是说信吗？”

“对。”

芭芭拉夫人像少女般点了点头，轻轻起身走回自己家里。如果我没看错，芭芭拉夫人的眼里泛着泪光。虽然可能是眼睛被烟熏出泪来，但我觉得她刚才哭了。

在等待芭芭拉夫人的这段时间，我突然有种似曾相识的奇妙感觉。没错，是卡门贝尔奶酪的关系。上代在写给静子女士的信中，曾提到卡门贝尔奶酪，所以才会和眼前的景象重叠在一起。

虽然我无法善待有血缘关系的上代，却能和刚好住在隔壁的芭芭拉夫人有说有笑地一起吃着卡门贝尔奶酪。上代也一样，她能对从来不曾谋面的笔友坦诚地吐露真心。

这个世界也许就是这么一回事。只要有缘分的人互相协助、彼此扶持，即使与有血缘关系的家人关系不睦，也能获得他人的支持。

“就是这个。”

过了一会儿，芭芭拉夫人拿了一封信回来。她双手小心翼翼地捧着一个淡茶色的信封。

“我一直珍藏着这封信，但我觉得差不多该让它自由了。因为我相信，这应该是世界上最悲伤、最不幸的信。”

“真的没问题吗？”

“没问题，我刚才已经决定了。”

芭芭拉夫人把信交给我时，有那么一下子，我看到了里面的东西。信封里有一张信纸和像是头发的东西。

“好吧，我会充满真心诚意地供养这封信。”

“谢谢你。”

芭芭拉夫人珍藏的这封信，在转眼间化为灰烬，简直就像在期待这一刻似的。

“啊，心情终于轻松了。这件事一直卡在这里。”

芭芭拉夫人说着，把手掌轻轻放在胸口。

“芭芭拉夫人，在目前为止的人生中，你觉得自己什么时候最幸福？”

我突然想问她这个问题。

“当然是现在！”

她的回答果然和我想象中一样。

“是啊，现在最幸福。”

我并不是在模仿芭芭拉夫人，而是发自内心地感到幸福。

芭芭拉夫人成为我的邻居这件事，也许具有某种特殊的意义，并非因为偶然。而且，说不定是上代在天堂操作着肉眼看不到的线，才让我能和芭芭拉夫人成为朋友。

我无法为上代做的事，远超过了我曾为她做的事。

但是，现在还不至于为时太晚。

芭芭拉夫人前后晃着双脚，吃着卡门贝尔奶酪。

春

きよう
おにわの
ちゆうりぷ
さきました。

注：院子里的郁金香开花了。

我发现信箱中有一封信。因为没有贴邮票，所以是直接送上门的。

即使不确认寄件人的名字，我也立刻知道是谁了。是QP妹妹。用色纸背面做的手工信封上，用色彩缤纷的彩色铅笔，以注音写了我的名字“ポポえ”。

但旁边却用比收件人名字更引人注目的字写了“しんてん”两个字。

但是，“ポ”和“し”都写反了。QP妹妹是最近搬到附近的五岁小女孩，她简直是写镜像字的高手。

我站在原地，迫不及待地撕开贴纸。信封深处飘出甜甜的香气，巧克力包装纸上写着很大的字。

背面用红色和绿色马克笔画满了郁金香，和用注音写的“今天庭院的郁金香开了”相互呼应。这封信让人想一看再看，每看一次，就觉得心里也开满了郁金香。

虽然我不太了解详细的情况，但QP妹妹没有妈妈，而她的父亲独自经营一家咖啡店。

星期六的下午，我在散步途中路过咖啡店，就走进去吃了午餐。咖啡店才刚开张不久，店里只有我一个客人。年幼的QP妹妹在店里帮忙。

虽然叫她QP妹妹，但这当然不是她的本名。

只是，不但她父亲叫她QP妹妹，她也自称“QP妹妹”，在信末也署了QP的名字，只不过完全写反。我能猜到她为什么会有这个昵称，因为她的外表和QP娃娃简直一模一样。

这是QP妹妹寄给我的第三封信，我当然都保留了下来。

因为太高兴了，所以下午在山茶文具店内顾店的同时，立刻给她写了回信。

我使用了邮简。这是将信封和信纸连成一体的出色信函，费用也很便宜，可惜很少有人使用。正式名称好像叫邮政信简。市售的邮简上已经印了邮票。

首先，我在信封上写了QP妹妹的地址和姓名。

QP住在咖啡店二楼。镰仓有不少店家都是将住家的一部分作为店面，将生活和生意结合在一起，山茶文具店也是如此。也许是这个原因，所以镰仓整体散发出悠闲的感觉。

我也模仿QP，在她的名字后写了“亲展”二字。

QP到底从哪里学会的代表“由收信者亲自拆阅”的“亲展”这两个字呢？因为她之前写给我的信中，也用注音符号写了“亲展”。或许她很喜欢这两个字。

为了让QP妹妹能读懂，我在“亲展”这两个字上标了注音。写完后，把纸翻了过来。

首先，我用七色蜡笔在信纸中央画上了大大的彩虹。写信给QP时，总是想使用缤纷的色彩。画完后，在空白处写上文字，这是模仿在诗笺或签名板上，将诗歌的语句分散书写的方式。

写给QP的信，像极了情书。我做梦也没有想到自己能结交到笔友，所以真的很高兴。这件事，让我觉得在心情上与上代靠近了一步。

邮筒折叠两次后，刚好就是信封的宽度。我在三个地方粘上黏胶，看起来就像普通的信封。

给我最喜欢的QP妹妹：
收到你的信了，非常感谢。
而且我真的很开心。
QP妹妹画的都会看
太可爱了——
你马上就要去读
幼儿园了。
希望你能在
幼儿园交到
好朋友。
下次要不要
来我家玩呢？
如果
我们可以一起
读绘本或
一起画画，
一定会很开心。
改天，
我会再去吃
你爸爸做的料理。
好想赶快看到你。
现在早晚都还很冷，
你要小心，
别感冒了。
波波

用黏胶粘完其中两边后，突然想到一件事，停下了手。邮筒里可以同时夹寄薄质的物品。

我东张西望，看看有没有什么东西可以同时寄给她，看到了动物图案的可爱贴纸。把贴纸放进去称了一下，虽然很接近，但幸好没超过二十五克。

封好后，又补贴了两元邮票。以前邮简的邮资只要六十元，但消费税调涨后，必须再补贴邮票才行。

文具店打烊后，我将邮简投进了离家最近的邮筒。虽然我不会把工作上的信投进这个邮筒，但这是私人的信，所以让这封信慢慢旅行也不错。每次看到这个邮筒，我都会情不自禁地想起胖蒂那天的样子。胖蒂那天浑身淋得像落汤鸡，一脸不知所措，如今她已经成为我的重要朋友之一。

把信投进投信口的瞬间，听到了轻轻的“咔沙”声。

一路顺风。

简直就像送自己的分身出门旅行似的。

等待回信的时光也很快乐。

希望这封信能送到QP妹妹的手上。

几天后的某个早晨，听到芭芭拉夫人的声音。

“波波，你家有没有炼乳？”

这几天突然有了春天的味道，麻雀在窗外热闹地谈笑。

“别人送了我好吃的草莓，但我家的炼乳用完了。”

“请等一下，我去看看。”

我连忙起身在冰箱内翻找。

“找到了！我这就拿过去。”

“谢谢，那我也会准备草莓作为回礼。”

随着春天的来临，邻居之间聊天也方便多了。从高空看下来，会觉得我们好像住在同一个屋檐下。

几分钟后，我们隔着围篱交换了炼乳和草莓。

“波波，你不在草莓上加炼乳吗？”

“我喜欢把草莓压碎后，加牛奶和蜂蜜一起吃。”

“是吗？那我就不客气，拿去用啰。”

“请用，请用。”

我不记得自己曾经买过炼乳，一定是寿司子姨婆生前买的。我小时候，炼乳不像现在是管状的，而是装在罐头里，要用开罐器在上面打两个洞，再把炼乳从里面倒出来。虽然上代说甜食会蛀牙，所以不许我吃，但并没有连炼乳也禁止。

当罐头里的炼乳所剩不多时，上代就会把罐头打开，然后直接放在火炉上。过了一会儿，当炼乳变成咖啡色，奶油糖就做好了。我最喜欢吃这种奶油糖。

突然想起这件事，让我的眼泪差一点流下来。我和上代之间，也曾有过像奶油糖这样甜蜜而愉快的回忆，只是这样的回忆并不多。

一大早就吃了多汁的草莓，为春天终于来临感到雀跃，但下午就有客人上门委托我写出人意料的书信。

对方竟然委托我写绝交信。

“所以，你打算和对方绝交吗？”

“就是这样。”

虽然委托的内容很耸动，但匿名小姐说话的语气十分轻描淡写。基本上，我会请客人先写下姓名和联络方式，不过这位客人委婉地拒绝了，所以，我只能称她为匿名小姐。

“如果可以，我希望明天就可以拿到。虽然我很想用自己的血写一封诅咒信，但这样手指会很痛，而且那个女人不值得我这么做。我不想和她再有任何关系。”

她说话时的表情，并不像是累积了多年的怨气；不如说，眼前的匿名小姐反而显得一派轻松。

“你们以前是朋友吗？”

我观察着匿名小姐，随口问道。如果不了解任何情况，当然无法写绝交信。

但我内心很犹豫，觉得是否该拒绝这个委托。代笔工作是为了协助他人得到幸福，这是我身为代笔人的坚持。更何况，有必要写伤害对方的信吗？

然而，工作就是工作。

从另一个角度思考，代笔人这份工作并不是做义工，眼前这位匿名小姐是客人，只要她高兴，那又何妨呢？两种完全相反的想法在内心天人交战，发出咔嚓咔嚓的声音。

“她曾是我最好的朋友，别人都说我们是姐妹，但现在不一样了，我再也不想看到那个女人。光是想到她，我就浑身不舒服。”

匿名小姐加强了语气。

一朵樱花在茶杯中舒服地摇晃。如果是上代，遇到这种情况时会怎么处理？既觉得她会说一番大道理，然后断然拒绝；又觉得她会二话不说地答应，然后淡淡地写这封绝交信。我举棋不定，继续提问：

“你们以前一起去旅行过吗？”

匿名小姐的表情立刻亮了起来。

“我们一起去过很多国家。不瞒你说，和她一起去旅行，比跟我老公一起去开心好几千倍。但那个女人是狐狸精。她骗了我。我绝对绝对无法原谅她。所以这辈子都不想再和她有任何往来，也不想再见到她，更不希望她和我联络。从今往后，我只想安静过日子。”

匿名小姐的意志坚定不移。产生动摇的，反而是我。

“把这样的信寄给她，你真的不会后悔吗？没问题吗？”

因为，一言既出，驷马难追。一旦对方看了信，就再也回不去了。

“没问题，虽然都这个年纪了，说要和别人绝交什么的，听起来跟小孩子没两样，但成年人的世界里也有这种事。长大成人后，什么事最轻松？就是不需要再和不想往来的人继续来往，不是吗？男人遇到这种事都会不干不脆，但女人很自由，可以自己选择朋友。勉强和讨厌的对象当朋友，只会让自己更有压力，彼此都很累。我不想做这种事，因为我是大人。”

她这番话不无道理。

“但就算你不喜欢对方，如果对方还喜欢你的话怎么办？”

“你是说单相思吗？单相思当然不可能修成正果。因为单相思啊，只要其中一方不愿意，早晚会出问题，搞得双方都很痛苦，所以，如果不是双方你情我愿，绝对不能交往。”

匿名小姐斩钉截铁地说完，更加强了语气，

“在未来的人生中，我不希望再欺骗自己了。

“我认为谎言有两种，一种是欺骗自己，另一种是欺骗他人。那个女人一辈子都在欺骗自己。我无法原谅这种事。如果她讨厌我，大可明白告诉我这件事。既然如此，那就不如由我用裁缝剪来剪断缘分吧。”

“裁缝剪吗？”

“对，没错，剪断的时候，还不肯死心是不行的。如果藕断丝连，那就失去了意义。因为断得干脆，可以减少双方的痛苦。由我亲手剪断不公平，所以来寻求你这个第三者的协助。你不是职业代笔人吗？”

听了匿名小姐的这番话，我觉得自己应该接下这个委托。

“不瞒你说，其实我很犹豫，不知道自己有没有资格写这么重要的信，但是，现在觉得必须由我来写。你对这封信，有没有什么要求？”

一旦决定要写，接下来就只剩下严肃地完成这份工作。

我是靠代笔为生的。上代在写信给意大利的静子女士时提到，不想再束缚我，希望我获得自由。代代相传的代笔家业这件事或许并不是事实，但我出生在代笔之家这件事千真万确。我身上流着代笔人的血。

“总之，我希望明确告诉对方，我的决心永生永世都不会改变。不过，你愿意帮我写，真是太好了。不瞒你说，这里已经是我找的第五家了。之前那几家，只要我一提到‘绝交信’几个字，就立刻把我赶出门外。你愿意听我说，我已经很感激了，谢谢你。”

匿名小姐郑重其事地向我鞠躬。起初我觉得她只是普通的大婶，但聊了一阵子后，逐渐对她改观。只要睁一只眼闭一只眼，应该还是可以继续维持和对方的关系，但匿名小姐并不愿意这么做。

她或许认为，继续虚情假意地和对方当朋友，对双方都没有好处。同时，这也代表她们曾经关系密切，只能借由绝交的方式断绝关系。一辈子能够遇到一两个这样的朋友，就是一种奇迹。

“请你用力砍下斧头。”

匿名小姐笑着说。

“不是裁缝剪，而是斧头吗？”

“对啊，否则无法斩断我和她之间的关系。”

“我会努力的！”

匿名小姐起身时，向我伸出右手。仔细想想，发现这还是我第一次在这种情况下和客人握手。匿名小姐出乎意料地用力握着我的手。我在内心发誓，既然接下了这份工作，就要写出最棒的绝交信。

匿名小姐写下收件人的地址和姓名后，离开了山茶文具店。信封上的寄件人署名，她希望用“前姐姐　寄”。她嫣然一笑时，两侧的脸颊上露出两个酒窝。她是一位很有魅力的人。

话说回来，这次要写绝交信。之前受男爵委托，写了一封拒绝对方借钱的信，但是这两者根本无法相提并论。因为这次要彻底断绝关系。

送匿名小姐离开，去后头洗杯子时，后悔的念头在我的心里萌芽。

现在回想起来，简直就像魔法。我中了匿名小姐话术的魔法，才会答应接下这个委托。我有一种不祥的预感，万一再度陷入瓶颈……我再也不想经历上次的痛苦。

我很受不了自己，竟然轻易接下这个棘手的委托，我为什么这么蠢？简直是自掘坟墓。匿名小姐要求在明天前把绝交信投进邮筒。

平时门可罗雀的山茶文具店，偏偏在这种时候客人络绎不绝，简直就是噩梦。向来保持沉默的黑色电话也响个不停，快递员纷纷上门。

直到天色渐暗，才终于有了喘息的机会。一看时间，已经过五点半了。太阳下山的时间越来越晚了。

我来到店门外，正准备打烊，背后传来脚踏车停下的声音。回头一看，QP 妹妹的爸爸在那里。脚踏车的篮子里装满了蔬菜，QP 妹妹头戴安全帽，坐在后方的儿童座椅上。她似乎睡着了。

“你好，她坚持要来送这个，所以我们就绕过来了，没想到被你发现了。”

QP妹妹的爸爸从夹克口袋里拿出信封。

“谢谢你每次专程送来。”

“她吵着说要自己投进信箱，但现在睡着了。”

QP妹妹的爸爸戳着她的脸颊说。

“她睡得这么香，不要吵醒她。”

QP妹妹一脸满足的表情，不知道是否做了什么开心的梦。

“她很喜欢和你通信，但这么频繁写信，会不会造成你的困扰？你不必勉强写回信给她。”

QP妹妹的爸爸诚惶诚恐地压低声音说。

“没这回事，能和QP妹妹成为笔友，我每天都很开心。真的很感谢你每次都专程送来。”

QP妹妹的爸爸很像一位偶尔会在电视或电影中当配角的男演员。

“那就改天见啰。”

一个男人独自照顾孩子应该很辛苦，不知道他的太太怎么了。只是，我们之间并不是可以打听这种隐私的关系。

QP妹妹的爸爸把脚踏车骑上坡道，我轻轻对着他们远去的背影挥手。抬头一看，月亮挂在昏暗的天空中，月亮的形状就像是熟睡的QP妹妹闭上的眼帘。

我迫不及待当场拆开了信，欣喜地发现她用了我上次送她的熊猫贴纸。含在嘴里怕化了，捧在手上怕摔了。这句话一定是用来形容像QP妹妹这样的人。

但是，我现在没时间摸鱼。

我要写绝交信。明天之前，无论如何都必须写好绝交信，不可能对客人说“实在太难了，我写不出来”这种话，否则根本没资格成为代笔人。一旦接下了工作，不管需要满地爬还是倒立，即使是吐血，都必须完成。

看完QP妹妹的信，我走进家门，上好了锁。

今天店里很忙，甚至没能好好吃午餐。仔细想了想，才发现早晨吃了芭芭拉夫人送我的草莓之后，就没有再吃任何东西。

如果是平时，我会拿着皮夹出门，但今晚惦记着绝交信的事，不想出门觅食。只不过，肚子空空，没办法认真工作。

家里一定有东西可以吃，我在厨房的柜子里翻找。如果记得没错，应该有袋装泡面。顺利找到后，我用单柄锅烧了开水。冰箱里还有鸡蛋，只可惜没有葱。我想在面里加一些佐料，突然想到上代在后院的某个地方种了鸭儿芹。

加了蛋花、撒上鸭儿芹的泡面味道出乎意料地有一种高级感，大概是最后滴了几滴辣油发挥了画龙点睛的作用吧。因为肚子很饿，我连汤都喝得精光。

我想喝杯咖啡醒脑，但家里没咖啡，只好泡了偏浓的绿茶。眼前的当务之急只有一件事。我很清楚，只是静不下心来。我不但洗了锅子和碗筷，还刷了完全不需要现在清理的料理台。

这份委托的纸张很重要。这是和对方断绝关系的信，所以必须写在无法轻易撕破的坚固纸张上。为了传达匿名小姐的决心，最好挑选连火也烧不掉的纸。

只有羊皮纸符合这个条件。羊皮纸虽称为“纸”，却和用植物纤维制造的纸张不同，是以动物皮做成的薄片状的物品。虽然一般认为是用羊皮制作的，其实除了绵羊皮以外，还会使用山羊皮、小牛皮、鹿皮和猪皮等绵羊以外的动物皮，其中以刚出生便死亡的小牛牛皮所制作的纸最为顶级。公元前就有使用羊皮纸的记录，而且在纸张出现前，使用的区域以欧洲为主，多用于宗教书籍和公文。

在羊皮纸上写字时，需要使用虫瘿墨水——比较常见的名字叫铁胆墨水。将寄生在植物上的虫瘿磨碎后混入铁屑，再用红酒与醋进行防腐处理，重现中世纪所使用的墨水，最后再加入阿拉伯胶增加黏度。虽然刚写完时看起来颜色较浅，但时间越久，颜色会越深。

这也是我第一次使用虫瘿墨水。钢笔无法使用虫瘿墨水，必须准备羽毛笔。羽毛笔是将鹅的羽毛前端割开制成的，直到十八世纪后半叶设计出金属钢笔前的一千多年期间，都是人类的书写工具。

桌子上放着羊皮纸、虫瘿墨水和羽毛笔，还有铅笔。

一看时间，已经快十点了。如果不赶快写就来不及了。我不可能直接写在羊皮纸上，所以先用铅笔在其他纸上打草稿，但我却迟迟写不出来。

我不自觉地用臼齿咬着铅笔。嘴里有一股铅笔特有的像是不甜的巧克力般冰冷的味道。我从小就这样，想事情时习惯咬铅笔。

脑子一片空白，突然很想看QP妹妹的信。QP妹妹的信和绝交信完全相反。今天收到的是第四封。我从第一封信开

ポポ
だーいすき
QPより

注：波波，我非常喜欢你。

始，依次读了每一封信。她的信都很短，而且只有四封，一下子就看完了。看完后，我又从第一封开始看。我完全不想面对现实。

话说回来，她的镜像文字还写得真彻底。“庭”字的注音中，わ变成向左膨胀；“香”字的注音中，し也写得好像“J”。既然是镜像文字，我突然想到，干脆透过镜子来看。

我拿着QP妹妹写的信，走向盥洗室。打开灯，站在镜子前，双手拿着信放在胸前。

看着这封写着“我最喜欢波波”的信，我突然灵光一闪。

对了！用这种方法就可以解决问题！

我从盥洗室冲出来，回到桌前，重新拿起铅笔，试着用镜像字写下五十音习字歌。

我练习了一次次，先是写在影印纸上，练熟后，再用羽毛笔写在羊皮纸上。羊皮纸珍贵且价昂，绝不能写错。目前山茶文具店仓库内所收藏的羊皮纸数量也很有限。

羽毛笔的笔轴很细，很不稳定，老实说很难写。但羊皮纸只能用羽毛笔来书写。

在练习镜像文字的同时，绝交信的内容也渐渐构思完成。

我们之间曾有许多愉快的时光，谢谢你。

有缘和你相识，是莫大的幸福，

我发自内心感谢你。

但是，我们还要再相互欺骗下去吗？

曾与你共度的美好时光，

我希望能就这样美好地留在心里。

这是我的绝交信，

我们不会再见面了。

我相信你知道其中的原因，

也请你好好聆听自己真正的心声。

我曾经很喜欢你，现在依旧喜欢你，

却也讨厌你。

我非常非常讨厌你。

我们已经回不去了。

想坦诚活在世上真是非常困难的事，

有时，不得不说一些谎言，

但我不希望欺骗自己，

也希望你能活得坦诚。

最后，再次向你表达感谢。

今天和匿名小姐聊过后，发现她的行为之中隐含着深厚的爱，而她心里则有两种完全相反的情感彼此冲撞着。

她和打算绝交的朋友间存在着名为友情的羁绊，让她们紧密地结合在一起。如果不是由匿名小姐亲手斩断，这种关系就会基于惰性，拖拖拉拉地持续下去。我发现，这封绝交信不正是为了让对方获得自由吗？所以，我打算用镜像字传达这种违心的想法。

练习镜像文字比想象中更耗费时间，时钟已经指向深夜两点多。上代常说，妖魔鬼怪会躲进晚上所写的书信中；但就算果真如此，我也只能听天由命。更何况这是绝交信，也许带有一点魔性才更好。

事到如今，我一定要写封完美的绝交信。必须高举斧头用力砍下，才能真的斩断。

我右手拿着羽毛笔，轻轻放进虫瘿墨水罐里。信的内容，已完全浮现在我的脑海。

写完对方的名字后，我放下了羽毛笔。

羊皮纸上的文字颜色很浅，简直就像被泪水稀释了，但虫瘿墨水所含的铁质遇到空气会氧化，颜色也会渐渐加深。当变色达到巅峰后，就会慢慢变成沉稳的棕色文字。我认为这完全表达了匿名小姐的心情。

低头看自己的手指，发现刚才握着羽毛笔的右手中指被染得漆黑。先去冲澡，把手洗干净后上床睡一觉。这时，天已经快亮了。

第二天早晨，我轻轻拿起放在佛坛特等席的绝交信再度确认。

光是看到文字，内心深处就惴惴不安起来。很少有人写这样的信。收件人收到后，也许会感到有点毛毛的，但正因为这样，才能发挥绝交信的作用。匿名小姐违心的决定，只能用这种方式呈现。

当我站在镜子前最后一次确认时，竟然在最后的最后，发现了那处失误。我忍不住惨叫起来。芭芭拉夫人似乎听到了我的惨叫声。

“你没事吧？”

我似乎叫得太大声了。

“我没事。”

我告诉芭芭拉夫人和自己。

倒数第四行的“有时”后面那个逗点没写成镜像字。但其实不必紧张，在羊皮纸上写错时，可以用刀子把墨水刮掉，或用柳橙汁擦掉。

用刀刮可能会把羊皮纸刮破，所以我决定去便利商店买柳橙汁。我打算把逗点的方向改过来后，再把羊皮纸卷起寄出去。

只要直径不超过三厘米，长度少于十四厘米，卷成筒状后，也可以作为普通邮件寄出。外面用烘焙纸包起来，把收件人的姓名和住址写在附有铁丝的吊牌上，绑在其中一端，就不必担心掉落。

我认为自己尽了最大的努力。

但我做梦也没有想到，刚完成一个委托，又有新的委托上门。

我去车站前的邮局寄了绝交信，打开店门才没几分钟，一位穿着和服的女性走进山茶文具店。因为她兴致勃勃地看着货架，我还以为她是来买文具的客人。没想到过了一会儿，她语带迟疑地对我说：

“我今天来这里，是有事想要请你帮忙。”

“你也是？”

我忍不住惊叫起来。连续两天有代笔委托上门，本身就是很难得一见的，而且这位和服美人竟然也委托我写绝交信。

她也许是从匿名小姐那里听说，山茶文具店愿意代写绝交信，所以才会上门。但既然匿名小姐匿了名，我也无法进一步追问，而且我发现她似乎和匿名小姐无关，只是两个人刚好都在这两天上门而已。说不定目前正流行绝交，只是我不知道而已。

“是写给谁的绝交信？”

我看着和服美人问道。她的年纪三十出头……吗？大概是因为穿着和服的关系，看起来比实际年龄稳重。

“对方是茶道老师。”

和服美人用略带鼻音的性感声音回答。

“我从高中时，就开始跟着这位老师学茶道，但老师常用很粗鲁的言辞骂我。以前明明是很亲切的老师，但从某个时候开始变得很奇怪，经常把‘丑八怪’‘笨手笨脚’‘人渣’之类的词挂在嘴上。原本我觉得，老师毕竟是老师，而且我也很喜欢上茶道课，所以一直忍耐，但是……”

不知道是否想起了不愉快的回忆，和服美人低下头，用手帕轻轻擦拭眼角。

“某种程度来说，老师对我有敌意，我也无可奈何；但老师开始攻击我的丈夫和儿子。一想到她可能危害我的儿子，我晚上就睡不着觉……

“其实我很想搬离这里，但考虑到我先生的工作和儿子学校的事，就很难如愿。而且，我很喜欢镰仓，很不愿意为了这个原因搬家。

“和朋友讨论之后，朋友说，是不是我的态度有问题。面对这种人，必须用坚决的态度表示拒绝，不能让对方觉得我很尊敬老师。”

听到这里，我语带迟疑地问：

“那位茶道老师是男老师吗？”

我以为那位老师对和服美人产生了特别的感情，所以才会嫉妒她的家人。

“不是，是女老师。后来我不再去上课，休息了一段时间；但我不去上课后，她又一直传讯息问我为什么不去上课。我真的快被她逼疯了。有时候才这么想完，她又突然寄很昂贵的礼物来家里。

“所以，波波，拜托你救救我！”

听到和服美人的最后一句话，我忍不住抬起头。我们四目相交，互看着对方好几秒。她的双眼唤醒了我微弱的记忆。

“你该不会是……小舞？”

“你终于发现了！”

眼前的和服美人，也就是小舞，欢呼起来。

“啊，你真的是小舞？”

“对啊，我是小舞。我很紧张，还以为你马上会认出我，结果你完全没有发现，害我着急起来，担心万一在我离开之前，你都没有察觉的话该怎么办。”

“对不起。”

我发自内心感到惊讶，不知道接下来该说什么。因为她说话的态度太镇定自若，我还以为她比我年长。小舞是我小学的同班同学。我念小学的时候很内向，又交不到朋友，是她主动和我当朋友的。

“我到现在还留着你为我写的名牌。”

前一刻还温柔婉约的和服美人，突然用亲昵的语气对我说话。

“什么？名牌？”

“对啊，你不记得了吗？就是这个，你不是为班上所有同学都写了名牌吗？”

小舞说着，从手提包里拿出了名牌。

“你看，就是这个。”

上面用马克笔写着“小野寺舞”的名字。

“因为我的字写得很丑，连自己的名字也写不好，所以你帮我写名字的时候，我超高兴，也很希望自己可以写出像你一样的字，才会一直保留着。”

“这已经是二十年前的事了吧？”

“是啊，但我很珍惜。”

小舞说完，双手小心翼翼地把名牌捧在胸前。我记得小舞上初中后，就到横滨的私立学校就读。

“原来你已经结婚，还生了孩子。”

虽然两人同年，但我们的人生完全不同。

“我儿子已经读小学了。”

“啊？不会吧？”

也就是说，即使我有个已经背着书包上小学的孩子也不足为奇。

虽然不能辩称因为她的感觉和以前完全不一样，所以认不出她来，但看到这位身穿和服的美女时，我做梦也不可能想到她是我的同学。

“所以，你的绝交信是？”

我的内心抱着一丝期待，以为她是为了吓我编出来的故事。

“对啊，我就是来拜托你这件事。上次开小学同学会的时候，大家刚好聊到你，不知道听谁说你在这里；刚好我又为老师的事很烦恼，所以决定鼓起勇气来跟你商量。波波，你家从前不就是专门帮人写信的吗？”

没错，我也收到了同学会的通知，但因为我有见不得人的过去，当然不可能参加，所以勾选“缺席”后，把通知寄了回去。

“好吧，绝交信就交给我来处理。”

我看着小舞的眼睛回答。小学时，小舞曾帮过我好几次，这次轮到我回报她了。

话说回来，人真的会变。小舞小时候很活泼调皮，经常把男生惹哭。没想到那样的女孩竟然变成了出色的和服美人。

“小舞，你太厉害了，竟然在学茶道。”

小舞听了我的话，嘿嘿地笑了起来。

“不瞒你说，其实我一直很羡慕你。”

她有点害羞地向我坦承。

“啊？不会吧？我向来很阴沉，也很不起眼，而且没什么朋友，又不擅长跟别人来往，简直糟透了。”

“这个嘛，的确有你说的这一面，但你还是个小学生的时候，就很彬彬有礼，也知道很多很有深度的字词。小时候我常觉得你的举手投足很美，很希望能像你一样；而且，你写的字很好看。”

“只有这个优点而已啊。”

因为我真的很会写书法，每次都得到金奖。

“你别谦虚了，还有男生暗恋你呢。”

“啊？不可能有这种事！”

我郑重否认。

“波波，看到你还是老样子，我真的松了一口气。”

小舞深表感慨。

虽然和小时候相比，不可能没有改变，但我想她指的是一个人无法改变的、像是内在的东西。

“啊，对不起，我都忘了倒茶给你喝。”

我被她这和服美人的气势震慑，忘了像平时一样为客人送上饮料。

“不用了，不必在意，反正我以后还会来找你。那封绝交信，拜托你真的没问题吗？我虽然试着写了好几次，但还是不知道该怎么写。”

小舞露出为难的表情，双手合掌拜托着。

“交给我吧。”

我故作姿态地向她微微欠身，然后互相留了电话。

“谢谢你！”

小舞大声道谢后，精神抖擞地离开了。

小舞打开山茶文具店的大门时，一阵风吹了进来。

“春天来了。”

小舞一边嗅闻着风的味道，一边小声低语着。樱花可能快开了，天空带着淡淡的粉红色，露出了微笑。

那天晚上，我开始动手写小舞委托的绝交信。既然对方是茶道老师，就必须用最高规格的礼仪对待，所以用毛笔写比较理想。

虽说是绝交信，但我希望写一封符合小舞给人的感觉、具备小舞特色的绝交信。

写昨天那封绝交信时很痛苦，但今天很快就构思出小舞委托的绝交信内容。可能是因为匿名小姐的委托，让我的脑袋进入了绝交信模式。写信和对方提出分手的确很困难，因为既不想伤害对方，但也不想招人怨恨。我想，要是能轻松写出绝交信，应该就算是独当一面的代笔人吧。

我仔细磨墨，把心放开。墨汁的颜色如同小舞双眸的颜色。小舞有强烈的正义感，认真对待每一件事；说话时，总是注视着对方的眼睛。

仔细想想，每个人其实都看不见自己。虽然可以看到手和手指，但除非照镜子，否则看不见自己的后背和屁股。无论任何时候，周遭人们所看到的我，都比我看到的自己更多。

正因为如此，即使自己觉得如此这般，但也许别人看到了不同的我。我记起白天和小舞的对话，想着这些事。

终于磨出了无限接近漆黑的墨汁，这是最适合传达小舞意志的颜色。我用毛笔蘸取了充足的墨汁。

接着，专心致志，一口气写完信。

今晨闻着瑞香的甜蜜香气醒来
百花盛开的明媚春天即将来临
学习茶道至今
转眼间已过了十多年
遥想当初我一无所知
连受茶的规矩都不懂
因长时间跪坐导致双腿发麻
以致无法顺利站起来的经验
也不胜枚举
温柔亲切的老师总是
温暖地守护我这年轻人
带给我莫大的救赎

无论是开心或烦闷时
只要见到老师您心情就能充分放松
归途中也能抬头看着天空露出微笑
我认为有缘认识茶道的世界
是我人生中最大的收获
即使老师有时严词批评
我仍自我激励
相信老师是爱之深责之切
然而要再继续上茶道课却是困难重重
照理我应亲自向老师说明这一切
只因身体微恙不能当面向您告别
请原谅我无礼之举用这种方式

向老师报告这般重大事宜
我们一家三口将您日前寄来的
松阪牛肉做成了寿喜烧享用
不愧是A5等級的牛肉
这也是正值发育的儿子
生平第一次品尝
真心感谢老师无微不至的照顾
说来有点丢脸外子是上班族
我是家庭主妇
儿子则是正值发育期的小学生
虽然老师一次次寄赠高級的食物
我却无法回礼内心着实深感痛苦

虽然不能再像以前一样
每周去上茶道课
让我心中倍感寂寞
但我希望能在广阔的世界中
实践您在课堂上所传授的一切
敬请老师多保重身体
衷心祝福老师您永远健康幸福

在那一刻，我就是小野寺舞。

写完的瞬间，我重重吐了一口气。

我似乎可以听到小舞拍翅飞离茶道老师的声音。虽然无法保证，但总觉得茶道老师收到这封信之后，应该不会再执拗地欺负小舞了。

隔天早晨，我重新检查了一次，采用正式而又富有礼仪的折纸方式——“立文”，先把信纸折好，外面用被称为礼纸的空白纸张以三折方式包起来，上下多余的部分则折成三角形。

用礼纸包信时，我加上了一朵庭院里盛开的花韭。花韭的花语是“离别的悲伤”。外头再用相同的纸把信与花包在一起，写上地址。

最后在老师的名字旁写上“御许”。虽然最近几乎很少有人使用“御许”这两个字，但古代的人都会用这两个字代表“随侍在侧”的意思。因为这封信要寄给茶道老师，所以必须礼数周到。

把信翻过来，写上地址和姓名、贴上邮票后，就大功告成了。

我想起上代曾经教导我，要蘸湿邮票贴在信封上时，悲伤的信要用悲伤的眼泪，喜庆的信也要用喜庆的眼泪，但我还做不到，总是蘸取积在水龙头的水滴来粘邮票。

“波波，可以拜托你一下吗？”

早晨擦完地，正在休息时，听到了邻居的叫声。

“好，等我一下。”

我慌忙把吃到一半的司康碎屑塞进嘴里，站起来，打开窗户。蓝天中有一条好像用尺画出来的笔直飞机云。

“你可不可以过来一下？拜托了。”

芭芭拉夫人压低嗓门说话的同时，向我招着手。

我立刻脱下穿在袜子外头的毛线袜，就这样穿着五趾袜，硬是把脚塞进源平商店的夹脚拖里。我的脚步有点不稳，啪嗒啪嗒地走向围篱。芭芭拉夫人也维持原来的姿势，像螃蟹走路般弯着膝盖移了过来。我以为她落枕了。

“对不起，这种事只能拜托你。”

芭芭拉夫人红着脸，娇羞地说。根本不是什么大不了的事，只是要我帮她扣毛衣背后的纽扣而已。

“真不好意思，你在忙还打扰你。”

芭芭拉夫人不安地说。

“没这回事，我一年到头都很闲。”

我一边说话时，一边替她扣好一排扣子。

芭芭拉夫人的这件毛衣很可爱，黑色的毛衣背后缝着红、蓝、白等不同颜色的圆扣，造型很新颖。

“好漂亮的毛衣，是哪个牌子的？”

我扣上最下面的纽扣时问道。

“你真爱开玩笑，这已经是半个世纪前的毛衣啦。原本是我妈外出时穿的——她在冬天经常穿这件，但因为款式太老旧了，所以最近我换了纽扣。

“嗯，联售站对面不是有一家纽扣店吗？”

“对啊对啊，的确有一家纽扣店，只是我忘了那家店叫什么名字。”

“我只是去那家店买纽扣回来缝上去而已。以前可以很轻松地扣背后的扣子，但刚才穿上去后，手臂完全抬不起来，真是急死我了。”

“这是小事一桩，有需要时，随时叫我一声。”我说。

芭芭拉夫人肩胛骨的位置有一根头发，我悄悄帮她拿下。美丽的银色头发好像蜘蛛丝似的。

“谢谢，那我以后就不客气了，有困难的时候就找你帮忙。”

芭芭拉夫人又兴奋地说道，

“对了，波波，你这个周末有事吗？”

“没什么特别的事。”

天气渐渐回暖，我原本打算去海边寻宝，看看有没有什么东西被打到海滩上，但下星期再去也无妨。

“那要不要赏樱？”

芭芭拉夫人说。

“好啊，樱花差不多盛开了。要去哪里赏樱？”

说到赏樱，我最先想到的是段葛。我想起以前曾在初春的夜晚，和上代一起走在那条路上，那就算是我们的赏樱。

“就在我家。”

芭芭拉夫人说。

“可以吗？”

“当然可以啊，只是也要请大家帮忙准备。因为从这个位置看不到，所以你可能也不晓得，我家庭院有一棵很壮观的樱树，所以想请大家来赏花。因为那些朋友和我一样，都是老太婆，不知道还能活跃多久。”

“不会啦……”

“波波，你不要露出这么难过的表情。所有的生命，都有结束的一天。”

即使如此，我仍然希望芭芭拉夫人可以活久一点，希望她可以永远当我的邻居。

“我很期待赏樱。”

听到我这么说，芭芭拉夫人也说：

“是啊，欣赏樱花，会很庆幸自己活着。波波，那天你要多邀一些朋友来。”

“咦？要办得这么盛大吗？但是我没有太多朋友哦。”

实不相瞒，我最好的朋友就是眼前这位芭芭拉夫人。

“那我收回刚才这句话，朋友是重质不重量，但如果你有想要一起赏樱的朋友，欢迎你一起带来，不必客气。”

听到芭芭拉夫人这么说，我立刻想到QP妹妹。

“谢谢。”

“以前说要赏樱，都会很兴奋地去很远的地方，但最近觉得在家赏樱最棒了。因为家里的樱花最漂亮，所以，虽然要劳驾各位，但还是希望让老太婆任性一下。”

“你一点都不老！”

我加强语气。

“波波，谢谢你。你人真好，会对我说这种话。”

芭芭拉夫人露出温和的笑容。

我可以对神明发誓，我从来不觉得芭芭拉夫人是老太婆；相反，我还很羡慕她，觉得她在精神上比我年轻多了。

“胖蒂说，她会负责细节的部分，那就交给老师吧。”

“是啊，别看胖蒂那样，她做事很有条理。”

“没错没错，重点就在于她看起来那样。”

我抬起头，发现飞机云已经消失了。

“那么，我差不多要回去准备开店了。”

“也是。我大概也要请别人带我去横滨的好市多一趟，要去买赏樱时用的盘子之类的东西。”

“好市多吗？”

我无法把芭芭拉夫人和好市多联想在一起。

“对啊，开车一下子就到了。虽然每次去那里都会忍不住买一些不必要的东西。”

芭芭拉夫人边说话边走回自己家里，红色、蓝色和白色的纽扣以相同的间距在她的背后闪着光。

砰，砰，砰，砰。

星期天一大早，厨房就传来响亮的声音。

“波波，你要更用力摔面团，把心里的疙瘩全摔出来。”

胖蒂在一旁指导。

“疙瘩是什么？”

穿着围裙的QP妹妹在一旁天真地问，但我现在无暇回答她。

赏樱的主菜是烤面包。当我告诉QP妹妹后，她说也想参加，于是我们三个人便聚集在雨宫家的厨房。我和QP妹妹都是第一次动手做面包。

“做面包的时候，这个步骤是否用心会影响面包的味道，所以要专心一点。”

虽然基本上只用了面粉和水，但眼前的固体既不是面粉，也不是水，而是富有弹性的圆形物体。

“好像有生命的东西。”

QP妹妹表达了感想。

“的确有生命哦！”

胖蒂凑近QP妹妹的脸庞说道。她们明明今天才刚认识，却像老朋友一样亲密地聊着天。

我喘着粗气，和面团奋斗了十五分钟，胖蒂才终于表示合格。我平时几乎不运动，手臂和腰的骨头都快散了。

“做面包很费体力啊。”

我气若游丝地说着。

“波波，你比我年轻，要振作一点。”

她用力拍着我的背。

“就是嘛，波波。”

连QP妹妹也模仿胖蒂说话的样子。我完全没想到，做面包竟然这么耗体力。

先把面团放在一旁静置，等待发酵成两倍大。

等待醒面的这段时间，则享用QP妹妹的爸爸做的早餐。照理说，他只要做女儿QP妹妹的那份就好，但他特地做了三人份，早晨送QP妹妹来这里时，也把早餐一起带了过来。

“啊，免捏饭团！”

一打开铝箔纸，胖蒂立刻叫道。

“啊？什么？免捏？”

我以为自己听错了。

“波波，你不知道免捏饭团吗？现在外面超流行呢。”

胖蒂说。

“波波应该不知道。”

QP妹妹也开心地跟着胖蒂起哄。

“我很不了解外面的事。这个有这么流行吗？”我问。

“你先吃吃看嘛。”

眼前是一个长方形的饭团，或者说是米饭版三明治，总之，是看起来并不新奇，但以前从没见过的食物。

我双手拿起饭团送到嘴边，有炒蛋和肉松的味道。

咬了一口，吃到了卤昆布。旁边有用酱油稍稍调味过的油菜花和竹轮天妇罗。切得很细的腌黄萝卜咬起来很爽脆，发出咔哧咔哧的声音。

“真好吃！可以同时吃到很多种味道。”

我语带佩服。

“所以说，免捏饭团是世纪大发明啊！”

胖蒂很是得意，好像免捏饭团是她发明的。

“吃免捏饭团不需要用筷子，小孩子也可以吃得很干净，不会掉得满桌子都是，最适合远足的时候。”

QP妹妹可能很爱吃免捏饭团吧，她没有加入我们的谈话，一直默默吃着。普通的饭团无法同时吃到这么多料，吃完后的整理也很轻松。

吃完早餐，我泡了蜂蜜金橘茶，大家喝着茶休息。

“那是谁啊？”

QP妹妹指着佛坛的方向问道。

“其中一个是上代，另一个是寿司子姨婆。”

我回答了她的问题。

“上代是什么？”

QP妹妹继续追问。

“嗯，是我的阿嬷。”

“那你的妈妈呢？”

“我没有妈妈。”

“去天堂了吗？”

“不知道。因为我没有见过妈妈，所以不太清楚情况，但应该还没去天堂吧。QP妹妹，你的妈妈呢？”

我很自然地问了这个问题。

胖蒂悄悄站了起来，走到料理台前洗钢盆和汤匙。也许她不想打扰我和QP妹妹。

“妈妈在天堂。”

QP妹妹说。

“孤单的时候，就这样用力抱紧紧。”

她双手交叉，紧紧抱着自己的身体，用力闭上眼睛。

“波波，你也和我一起做。”

QP妹妹闭着眼睛邀请我，我也用力抱紧自己。

“用力抱紧紧。”

我的母亲在十几岁时怀了我，然后生下了我。

这是寿司子姨婆瞒着上代偷偷告诉我的。上代和我母亲水火不容。从我懂事时开始，就从来没在家里看到过母亲的照片。

因为一开始就没有母亲，觉得没有母亲也很正常，所以从来不曾有过想见母亲的想法。但是，如果她还活在世上，也许有朝一日会见面。

“可以了，波波，这样是不是就不会觉得孤单了？”

听到QP妹妹的声音，我缓缓地睁开眼睛。QP妹妹朝我伸出手，摸了摸我的头。她抚摩的方式很温柔，就像妈妈在摸女儿。

QP妹妹想妈妈的时候，都用这种方式克服吗？我和她在一起的时候，虽然也很想紧紧地抱住她，但这两者的意义应该不一样。QP妹妹的妈妈身上，必定有专属于QP妹妹妈妈的独特的温暖。

胖蒂洗好碗，说要用剩下的面粉烤松饼。于是我便去准备搭配松饼的鲜奶油和培根。

我和QP妹妹牵着手一起去采买。我们在镰仓宫搭公交车，在镰仓车站前一站下了车，走进联合超市。位于若宫大路上的联合超市是离我家最近的超市。

我问QP妹妹有没有想买的东西，但她回答什么都不想买，还是赶快回家吧。QP妹妹牵着我的手，便准备走向出口，我慌忙挑选了鲜奶油和培根，付钱结了账。

走出超市，刚好有一辆公交车进站。天气渐渐暖和，镰仓每年从这个时期开始，观光客就会开始增加。

回到家，面团已经膨胀得很大。

“醒面是把面团叫醒的意思吗？那面团刚才睡觉的时候，有没有打呼？”

QP妹妹问。

“有啊，刚才鼾声如雷呢。”

胖蒂用一脸认真的表情回答。

我把手轻轻放在面团上，感受到好像人体皮肤般的温度。胖蒂说要继续醒面，于是用湿布轻轻盖在面团上。

“晚安，要好好睡觉哦。”

我也小声对着有生命的面团耳语。

趁着醒面的时候，我和QP妹妹准备鲜奶油。以冰块冷却钢盆盆底的同时，用打蛋器迅速搅拌，这也是会导致手酸的作业。

胖蒂在一旁煎好一块又一块松饼。薄薄的松饼形状不一，很有手工制作的感觉，看起来更好吃。这时，传来了芭芭拉夫人的声音。

“早安。”

胖蒂可能没料到会突然传来声音，翻动平底锅的手抖了一下。

“早安。”

QP妹妹大声回答。QP妹妹和芭芭拉夫人还没见过面。

“哎哟，好可爱的声音啊。”

芭芭拉夫人立刻察觉到QP妹妹也在。

“今天要麻烦你了，我们正在煎松饼。”

我向她说明情况。

“今天的天气也很不错，真是太好了。”

胖蒂终于向芭芭拉夫人打招呼。

“要不要我帮忙？”

芭芭拉夫人问。

“这里没问题，就交给我们吧！”

胖蒂很有精神地回答。

“那就按照原定计划，十二点开始。”

“遵命！”

我回答道。QP妹妹在一旁听了我们的对话，好奇地咬耳朵问我：

“她是邻居吗？”

“是啊，是很好的邻居，她叫芭芭拉夫人，等一下我介绍你们认识。”

如果说，芭芭拉夫人是我朋友中最年长的，QP妹妹当然就是最年幼的。

一看时间，距离赏樱开始只剩下不到两小时了。

面团充分膨胀后，要先把它压扁，让空气排出来。休息片刻后，就可以整形、进烤箱。

最后完成的是很大很大的乡村面包，带有一点焦香味。中间称为割线的十字痕迹是我和QP妹妹一起用刀子划的。

十一点过后，周围渐渐热闹起来。十一点半的时候，已经聚集了不少人。我们隔着围篱，从庭院把面包、鲜奶油和培根等搬到芭芭拉夫人家时，男爵站在第一线指挥，把坐垫都排在缘廊上。自从农历新年一起去镰仓七福神巡礼后，这还是我第一次见到男爵。

因为每个人都带了东西来，所以桌上摆满了食物。除了“鸟一”的可乐饼、串烧，还有萩原精肉店的烤牛肉、伯格菲尔德面包店的香肠等熟悉的品项，还有腌鲭鱼、竹筴鱼寿司、魩仔鱼等丰富的海鲜；至于甜点，则有镰仓人都很熟悉的“麸帆”的麦麸馒头，与松花堂的进贡羊羹。

一共有十多人来芭芭拉夫人家赏樱，因为大家都住在镰仓，所以很快就熟悉起来。只要住在镰仓这个地方，一旦聊上几句，就必定会发现有共同认识的朋友。

我牵着QP妹妹在坐垫上坐了下来。大家先用逗子酿造的“喜悦啤酒”干了杯。芭芭拉夫人为QP妹妹调了热柠檬水。

芭芭拉夫人家的樱树真的很壮观。那是一棵优雅的枝垂樱，宛如从天而降的光丝。

QP妹妹也露出严肃的眼神欣赏着樱花树。

“这棵树的树龄是多少？”

我问芭芭拉夫人。

“我出生的时候，我父亲为了纪念而种下这棵树，所以年纪和我一样。”

芭芭拉夫人露出温和的笑容告诉我。这棵樱花树高雅华丽，只要在它旁边，心情就很平静，的确就像芭芭拉夫人。

我们在春寒料峭中一边喝着啤酒，一边赏花。

仔细一看，发现樱花的颜色并非完全一样，有的颜色比较深，有的比较浅，深浅并不相同。有些含苞待放，有些已成落英，每朵花以各自的节奏绽放。

不光是花，黑色弯曲的树干、细弦般的树枝，以及开始冒芽的树叶也都很美。只要敞开心房，就可以听到樱花诉说的话语。樱花和我越来越亲密，我在心里轻轻抱住了樱树。

我去年春天也在镰仓，却完全没有心情抬头欣赏樱花。如今，我和左邻右舍坐在这里一起赏花。这种平淡无奇的事令我感到幸福。

我怔怔地注视着樱花，坐在我身旁的一位年长绅士请我喝白葡萄酒。

“听说这是由阿尔萨斯地区的雷司令（Riesling）葡萄所酿造的有机葡萄酒。”

这位年长绅士说起话来，就像大河般滔滔不绝。他是芭芭拉夫人的男朋友吗？我把剩下的啤酒喝了下去，请他把白葡萄酒倒在我的空杯里。

我喝着带有木桶香气、味道醇厚的白葡萄酒，吃着大家带来的料理。“鸟一”的可乐饼用的不是猪绞肉，而是鸡绞肉。上代因为太忙而无法做晚餐时，“鸟一”的可乐饼就会经常出现在雨宫家的餐桌上。

自己烤的面包味道果然不一样。带有咸味的面包，无论搭配奶油还是果酱都很好吃。

大家酒酣耳热时，胖蒂说：

“各位，今天机会难得，请大家轮流自我介绍，简短介绍一下自己住哪里、在做什么就可以了。”

因为从左侧开始，所以很快就轮到我了。虽然我有点紧张，但还是站起来向大家打招呼。

“我是芭芭拉夫人的邻居，经营山茶文具店的雨宫鸠子。我在镰仓出生、长大，在国外流浪了几年，直到去年才回来。虽然开文具店，但也从事代笔人的副业，如果各位有需要，欢迎随时吩咐。请大家多多指教。”

我向来很怕自我介绍，但可能借酒壮了胆吧，很顺利就说出口。接下来轮到QP妹妹。

“我搬到镰仓，和爸爸住在一起，今年五岁。

“我喜欢吃白煮蛋加美乃滋，请多多指教！”

QP妹妹毫不胆怯，落落大方地自我介绍，所有人都热烈鼓掌。

几分钟后，轮到胖蒂自我介绍时，响起了轰动的欢呼声。

因为胖蒂提到目前在小学当老师后，突然向大家宣布：

“不瞒各位，我很快就要结婚了！”

然后又接着说，

“我要嫁给那位男士！”

说着，胖蒂竟然指向男爵。

短暂的沉默后，“哇”地响起一阵热烈的祝贺声。

男爵的脸渐渐红得像枫叶。完全没有想到这两个人会凑在一起，还忍不住怀疑自己是不是上当了。该不会是愚人节吧？但看他们的表情，不像是在开玩笑。

所有人都自我介绍完毕后，我走向胖蒂，小声对她说：

“恭喜。”

虽然我有一箩筐的话想问她，但还是先表达祝福。

“谢谢！我得向你道谢才行。”

“为什么要谢我？我什么都没做啊。”

“因为上次有你帮我收回那封已经丢进邮筒的信，我的人生才能改变，不是吗？如果那封信就这样寄到对方手上，不知道会有什么结果，也许我就这样嫁给一个自己根本不喜欢的人。”

胖蒂应该不会喝酒，但她的脸好像喝了酒一样。

“这样啊。但没想到是男爵，太惊讶了。我完全没有察觉。你们是什么时候开始交往的？”

我竟然心跳加速，已经很久没有和别人热烈讨论恋爱的话题了。

“我们不是去七福神巡礼吗？那天下雨，所以就在八幡宫解散了对吧？就是在那次之后。但第一次是在酒吧见到你的时候。”

“酒吧？”

我不记得这件事，纳闷地问。

“就是那次强台风逼近、下了大雨之后，你穿着雨靴去酒吧那次啊。”

“哦，我想起来了，我想起来了。那次的确是和男爵一起去的。”

“对不对？那时候我还偷偷羡慕你，觉得你竟然有这么帅的男朋友。”

“原来是这样！所以七福神巡礼时，是你们第二次见面。我记得你们后来去了稻村崎温泉？”

“没错没错，往温泉的路上，我们聊了很多事，然后发现自己在不知不觉中恋爱了。我好像对那种霸道的男人没有抵抗力。”

“所以，是你主动告白吗？”

我问道。胖蒂仿佛少女般含情脉脉地点了点头。

“波波，人生会发生什么事，真的很难预料。”

胖蒂用一脸确信的表情说着。的确是这样。如果可以预测人生的一切，那么一定很无聊。

“总之，祝你幸福。”

虽然我仍然无法想象胖蒂和男爵会成为夫妻，但说不定他们很般配。男爵比胖蒂年长很多岁，以前结过婚，应该经历过不少风风雨雨。不过，能遇到喜欢的人、能一起生活，便是人生最大的幸福。

“今天的赏花会很成功，真是太棒了。”

傍晚收拾时，我对芭芭拉夫人说。大家几乎都走了，QP妹妹和一群大人相处，或许是太累了，中途就躺在坐垫上睡着了。我们轻手轻脚地将垃圾分类、收拾脏碗盘，以免吵醒她。

“到了这个年纪，每天都像是在探险，因为会不断发生有趣的事。”

芭芭拉夫人正在收拾所有人用过的免洗筷时，仿佛自言自语般说着。

“能够一边欣赏着美丽的樱花，一边喝酒，今天真是太美好了。”

我觉得自己的肩膀也披上一件樱花色的羽衣。

枝垂樱在我和芭芭拉夫人的视线前方绽放着。天色已经有点暗了。天空中的粉红色和深蓝色形成渐层，宛如顶级鸡尾酒才有的色彩。

“因为太幸福了，最近有点感伤。”

芭芭拉夫人深有感慨地说。

“我今天深深体会到，自己能生在镰仓真是万幸；能和你成为这样的好邻居，实在太幸福了。谢谢你，芭芭拉夫人。”

平时即使心里这么想，也无法说出感谢的话，现在是绝佳的机会。

“我也一样，能够和像你这样可爱的女生当朋友，真是太棒了。”

这时，从山那边吹来一阵风，摇动枝垂樱的树枝。那一刻的心情，就像神的手指轻轻抚过脸颊。

半个月后，有人邀我约会。

“我有一件事想拜托你。”

星期六下午，山茶文具店打烊后，我去吃晚餐时，QP妹妹的爸爸用一脸严肃的表情对我说。我一开始还以为有什么事。

“我希望你陪我去侦察。”

QP妹妹的爸爸从收款机里拿出找零时对我说。

“侦察？”

他说的话出乎意料。

“说起来很丢脸，我想了解其他餐厅都做些什么样的咖喱，但我一个人不太敢走进那种时髦的餐厅，所以，我想拜托你，能不能陪我去侦察其他店家……

“镰仓不是有很多家咖喱店吗？我的餐厅也想走咖喱路线。

“今天店里也只有你一个客人。当然，这个地点交通不便也是原因之一，但继续这样下去，餐厅的生意是做不起来的。”

“好啊，既然这样，那我们就吃遍镰仓的咖喱，彻底研究一下，然后请你做出不输给任何一家店的好吃咖喱！”

如果是一年前，我一定会因为害怕而拒绝。而且光处理店里的事就焦头烂额了，根本没有这种闲工夫。但现在不一样。虽然很难具体说明到底哪里不一样，但的的确确不一样了。

“谢谢你！真的帮了大忙！”

QP妹妹的爸爸向我鞠躬。

“爸爸，太好了，你可以和波波约会了。”

躲在收银台里头，一直听着我们说话的QP妹妹调侃着自己的爸爸。

“不是约会啦。”

QP妹妹的爸爸拼命纠正，但QP妹妹还是一直重复“约会”这两个字。看到她的样子，连我都忍不住害羞起来，好像真的有人找我约会似的。

如果是老店，“Caraway”很有名，但年轻人都喜欢去“Oxymoron”；如果去长谷一带，则有“Woof Curry”；想稍微换一点花样的话，还有露西亚亭的咖喱面包。我记得大町有一家餐厅，每周有一天会供应正统的印度咖喱，但我忘了那家餐厅叫什么名字。

过了几天，我把这些情况告诉QP妹妹的爸爸，最后决定先从“Oxymoron”下手。他似乎最在意那一家，但对他来说门槛太高，他不敢走进那家餐厅。

“上一次，我已经走上这道阶梯了，但因为餐厅太时髦，不敢推门进去，最后只能转身离开。”

星期天傍晚，我们锁定最后点餐时间走进餐厅，所以店里并没有太多客人。我们坐在视野良好的窗边座位，QP妹妹坐在我对面，她的爸爸则坐在她身旁。

一比较他们的长相，就觉得无论怎么看，他们都是如假包换的父女。不管是双眼之间的距离、浓密的睫毛，还有看起来很有弹性、让人忍不住想伸手触摸的脸颊，都一模一样。

“你要吃什么？”

我怔怔看着他们父女，QP妹妹的爸爸把菜单递了过来。

“嗯，今天有点想吃日式肉末咖喱。”

我自言自语般地回答后，又问，

“守景先生，你要点什么？”

我第一次这样称呼QP妹妹的爸爸。

QP妹妹的本名叫守景阳菜，阳菜这两个字读作“Haruna”，但对我来说，QP妹妹就只是QP妹妹。

“嗯，因为第一次来这里，所以我还是点正统的鸡肉咖喱，QP呢？”

“布丁！”

QP妹妹大声叫道。

“嘘，不要这么大声。你不是答应今天要乖乖的吗？”

被爸爸教训后，QP妹妹乖乖低下头的样子很可爱。

“那爸爸把咖喱的饭分你，你吃完之后才能吃布丁，好不好？一言为定哦。”

守景先生说完，QP妹妹用力点着头。

点完餐等待餐点送上来时，QP妹妹从自己的小背包里拿出折纸，专心地折了起来。

“这孩子从小就很习惯等待。”

QP妹妹露出专注的眼神折着眼前的彩纸，守景先生则专心地摸着她的头。但QP妹妹完全不在意，只是继续折纸。

原来她爸爸常常这样抚摩她，难怪她上次会对我这么做。她教我觉得孤单时紧紧拥抱自己，而当我缓缓睁开眼睛时，QP妹妹摸了摸我的头。

守景先生向服务生要了一个小碗，把鸡肉咖喱的饭分给她。我也从我的肉末咖喱中分了一些饭给她，然后把紫色高丽菜沙拉、酸腌豆和胡萝卜丝沙拉放在桌子中央，大家一起分享。

准备就绪后，三个人一起说：“开动了。”除了我们以外，只有一对年轻情侣。刺眼的夕阳从窗户照了进来。

好久没吃的日式肉末咖喱果然很好吃。很辣，加了很多辛香料，舒畅到让人完全敞开心房。

“你要不要尝尝这个的味道？”

我把盘子递到守景先生的面前。

“那我就不客气了。”

他用汤匙舀起日式肉末咖喱。

“你要不要也试试鸡肉咖喱？”

他用左手掩着嘴，也请我尝他的咖喱。

“那我就尝一口。”

我也从守景先生的盘子里舀了一口鸡肉咖喱。守景先生把咖喱含在嘴里，仔细地品尝味道，然后在自己的笔记本上记录起来。

QP妹妹似乎很爱吃胡萝卜丝沙拉，一口接一口吃着。

我平时向来都是一个人来这里，点一人份的咖喱，一个人吃完，一个人付钱，几乎不和任何人说话，就这样离开餐厅。我一直以为这是理所当然的，但如今却和守景先生、QP妹妹三个人一起坐在这里吃咖喱。虽然咖喱的味道应该没有改变，但和别人一起享用的咖喱，会让胃感受到不同的满足。

因为大家都不好意思吃得精光，所以盘子里还剩下几颗酸腌豆。我觉得可惜，便吃了起来。守景先生拿出QP妹妹用的手帕，用力擦着QP妹妹嘴巴周围。

“好痛哦！”

QP妹妹把头扭到一旁。

“不行，一定要擦干净。”

守景先生把QP妹妹的脸转向他，脸上的表情很严肃。看着他们父女，向来陷入沉睡的内心深处，好像突然被人捏了一把，好像有什么东西从那里涌现似的。

不行不行，现在不能哭。

我努力克制，但看到QP妹妹说“爸爸也要”，然后用手帕一个劲地为守景先生擦拭嘴角时，我终于忍不住了。

为了不让他们父女察觉，我悄悄转身，假装欣赏窗外暗红色的天空。

晚霞仿佛在燃烧殆尽后，就这样变成了灰。我没想到自己会流泪，所以没带手帕，只好拉着衬衫袖子擦拭眼泪。幸好今天穿长袖衬衫。

我无法不想到自己和上代的关系。虽然我努力寻找与上代之间的美好回忆，但不好的回忆总是争先恐后浮现，阻挡了美好回忆。我很羡慕守景先生和QP妹妹的相处如此毫无顾虑、相亲相爱。

不一会儿，布丁送了上来。刚才的那对年轻情侣不知道什么时候离开了，餐厅里只剩下我们三个人。

“布丁！”

QP妹妹似乎很喜欢布丁，双眼发亮地把茶匙插进柔嫩的布丁里。

“QP妹妹，怎么样？好吃吗？”

我问，而她满面笑容地回答。

QP妹妹吃掉三分之二时，突然抬起头，看了看我，又看了看守景先生。然后，她舀了一大匙布丁，缓缓送到守景先生的面前。

“爸爸，啊——嗯。”

然后，她又把茶匙伸到我的面前。

“波波，你也要啊——嗯。”

她也把布丁送进我的嘴里。

她应该很想独占布丁才是。一想到这里，内心对QP妹妹毫不虚假的贴心再度有了反应。

“好吃吗？”

QP妹妹问，我努力克制内心的情绪，点了点头。其实我很舍不得吞下去，想一直留在嘴里。

“谢谢你请我吃。”

又甜又柔软的布丁，简直和QP妹妹一样。

原本打算各付各的，但守景先生说要谢谢我陪他来这里，所以一起结了账。

我向他道谢，他反而谢谢我。

星期六傍晚六点多的小町路上没什么行人，静悄悄的。QP妹妹走在中间，我们三个人很自然地牵起了手。

“希望你听了不要太有压力，但不瞒你说，今天是我第一次约会。”

守景先生突然这么说，我惊讶地看着他。

“啊，对不起，我不应该随便用‘约会’这种字眼。”

“不，没这回事，女生之间也常常会说‘我们来约会吧’。”

我突然好想放慢脚步。QP妹妹毫不犹豫地牵着我的手，让人想一直牵着那只手不放开。

“要不要去喝咖啡？我请你喝咖啡，谢谢你请我吃咖喱。”

“谢谢。”

守景先生回答的声音温柔地传入我的耳朵。

在街角转弯后，走进咖啡店点了两杯咖啡，坐在露天座位喝。观光人力车结束了一天的工作，从咖啡店前经过。我不想松开QP妹妹的手，所以只用右手付钱，也只用右手拿咖啡杯。守景先生可能也一直牵着QP妹妹，所以用左手拿着咖啡杯。他的无名指上戴着一枚典雅的戒指。

“我刚才的话还没说完。”

守景先生喝了口咖啡，又说，

“我原本以为，这辈子再也不会和任何女人一起去某个地方了。”

他说话的声音很平静，好像身旁没人在听似的。我竖起耳朵，细听他的声音。

“这孩子的妈突然离开了我们，当时我完全乱了方寸，每天都想着带孩子一起去死；什么都不想做，整天都待在昏暗的房间内发呆。现在回想起来，还觉得浑身发毛，那完全就是放弃了养育孩子。

“结果有一次，我看到她在用力吸美乃滋。她整张嘴、整张脸上都是美乃滋。那一刻，我被她的样子惊醒，意识到自己不能再继续这样下去。

“她妈妈离开时，她还不到两岁，所以好像并没有对妈妈的记忆，但现在每天睡觉时，仍然会抱着美乃滋瓶子。她可能把美乃滋当成母亲了吧。连这么小的孩子都努力设法撑过去，我这个父亲，怎么可以一蹶不振？于是，我决定实现我和我老婆生前的共同梦想。”

“梦想？”

“对，我老婆以前曾说过，想开一家咖啡店。”

“她是镰仓人吗？”

“我们和镰仓完全没有任何地缘关系，但是，我和我老婆第一次约会就是在镰仓，而且我们两人都很喜欢这里。这里虽然离东京很近，但整个街道的氛围完全不一样。所以我们一直都希望生了小孩之后，可以搬来这里生活。”

“原来是这样啊，你太太……是因为生病吗？”

虽然我有点犹豫，不知道该不该问这种隐私，但还是想知道。

“她带着这孩子去超市买东西时，被随机杀人魔用刀子从背后刺中。”

“对不起。”

我为自己无知地问了这个问题感到羞愧。

难怪QP妹妹和我一起去联合超市时急着要离开。虽然她可能没有记忆，但身体也许仍记得当时的恐惧。我想起QP妹妹当时紧紧抓住我的手，想起她当时脸上的表情，忍不住感到难过。

“没关系，这是事实，而且也已经过去了。”

虽然事出有因，但未必能够接受，而且自己根本没有做错任何事，却被素不相识的人夺走了重要的家人。守景先生内心的怒气，该向何处宣泄才好?

QP妹妹坐在我和守景先生中间，昏昏欲睡。

“要不要走一走?”

守景先生站了起来。

“背我。”

QP妹妹松开我的左手，朝着守景先生伸出双手。守景先生正打算把自己背上的背包移到前面时，我接过背包。

“谢谢。”

守景先生说完，背着QP妹妹站了起来，然后走往平交道的方向。

“QP妹妹现在几公斤？”

“十五公斤左右吧。”

QP妹妹趴在守景先生的背上，露出快睡着的样子。她每次滑下来，守景先生就停下脚步，重新把她背好。

看着他们父女，我似乎想起了什么。

在平交道前等电车经过时，我对守景先生说：

“我想去一个地方，可以吗？就在这附近。”

“当然可以啊。”

越过平交道，我们往北镰仓的方向走去。太阳早已下山，星星在夜空中闪烁。樱花皆已凋谢，展现一整片夜樱之美。

“就是这里。”

“寿福寺吗？我第一次来这里。”

“我也好久没来了，这是政子所建的寺院。”

“政子？”

“啊，是北条政子。我外祖母经常这么叫她，所以我也受到了影响。”

就算我说是“上代”，守景先生也搞不清楚是怎么回事，所以我说是外祖母。

走进山门，通往中门的石板路是平缓的坡道。中门以外的区域可以自由参观。

“真是个好地方，好像可以洗涤心灵。”

石板路左右两侧是苍郁的树林，树根被松软的苔藓盖住了。我忍不住停下脚步深呼吸。枝头刚抽芽的新绿宛如无数点亮的蜡烛，这些新生不久的树叶照亮了暗夜。

守景先生就这样背着QP妹妹，慢慢走向中门的方向。我走在他的身后，维持半步的距离。

“刚才看到你背QP妹妹，我突然想起一件事。”

守景先生静静地听我说话。

“我是由外祖母一手带大的，她很严厉，留在记忆中的，几乎都是痛苦的回忆；但是刚才——”

泪水从眼眶里滑落，连自己都被吓到了。但我仍然接着往下说，

“我刚才想起来了，外祖母也曾经背过我，她就是在这里背我的。”

虽然我只是想告诉他这件事，但才刚说完，我就蹲了下来。

我也不知道自己为什么会哭得这么伤心，但泪水不断地涌出眼眶，然后顺着脸颊滑落。

“不嫌弃的话，这个借你用，虽然可能有点脏。”

守景先生递给我一条手帕，就是他刚才不管QP妹妹不愿意，硬是帮她擦嘴巴的那条手帕。手帕上有淡淡的咖喱味。

仔细一看，手帕的角落绣了“QP”两个字母，而且还特地绣成镜像文字。守景先生是一位很温柔贴心的爸爸。

“我猜你外祖母一定只会用严厉的方式来表达她对你的爱。”

事实应该就是守景先生说的那样，但我内心无法摆脱一切为时已晚的想法。

我站了起来，再度走向中门，手上握着QP妹妹的手帕，但已经被泪水浸透了。

来到中门前，我突然转过身。

“从这里看出去的风景最棒。”

有夜晚的味道，可以感受到生命吐出的浓厚气息。整个镰仓，上代最喜欢这里。

“我背你。”

守景先生突然说道。

QP妹妹已经离开了守景先生的背，用自己的双脚站在那里。她张得大大的双眼看着远方。那时候的我，年纪也和QP妹妹差不多吗？不，说不定比她更小。

“也许你会想起其他的事。”

“没关系，我已经回想得够多了。”

“机会难得，就算我谢谢你今天陪我去侦察。”

我突然回到了现实。他知道我体重几公斤吗？他背着十五公斤的QP妹妹走路，就已经很吃力了。

但是，守景先生蹲在地上，做好了准备。

看着他的背影，内心深处突然闪过一个念头：似乎可以小小地任性一下。

“你千万不要勉强，真的只要走几步就好。”

我把上半身靠在守景先生的背上，几秒钟后，视野顿时开阔起来。

当年的我应该也很重，但上代为了让我看到这片景色，背着我走在石板路上。眼前的确是我曾看过的风景。

“不必放在心上。”

守景先生背着我，用几乎融化在春夜里的声音对我说着。

“啊？”

连树叶也竖耳细听我和守景先生的对话。

“不可能不后悔。我也一直后悔，后悔早知道当时应该这样对我太太，早知道当时不应该说那种话。

“但是，有一天，我终于发现了一件事——其实不能说是我自己发现的，而是女儿教我的：

“与其苦苦追寻失去的东西，还不如好好珍惜自己眼前拥有的东西。”

守景先生接着又说，

“如果有谁背起了自己，下次就换自己去背别人。我老婆以前常常背我，所以我现在才能背你，这样就足够了。”

守景先生或许在流泪，但我看不到他的脸。QP妹妹手里抓着不知道哪里采来的野花。

“谢谢你。

“这个记忆或许可以陪伴我过一辈子。”

我希望把这种想法传达给守景先生，也传达给已经不在人世的上代。

和守景父女道别后，我回到家，泡了京番茶。

我准备了三个茶杯，把茶壶里的热茶倒进杯子。杯子冒着热气。

我把其中一杯放在上代的照片前，另一杯放在寿司子姨婆的照片前，敲了敲铜磬后，合起双手。

我无论如何都不可能再见到上代和寿司子姨婆，过去我一直抱着一丝期待，希望能再见她们一面，让一切重来；但是，今天见到守景先生后，我了解到这是不可能的事，而我也必须在没有上代的世界继续前进。

我坐在椅子上，把自己的茶放在面前。芭芭拉夫人家走廊的灯今天也发出橘色的光。绣球花即将吐芽。

结果，芭芭拉夫人还是没把绣球花剪掉，去年就枯萎的绣球花仍然维持着地球仪般的形状。

我喝完第一杯茶后，把书信盒拿到桌子上。

然后，从书信盒里拿出钢笔。

这支沃特曼（Waterman）钢笔是我升上高中时，上代送我的礼物。原本在纽约当保险销售员的刘易斯·埃德森·沃特曼，制作出能让笔储存墨水的装置；换句话说，正是他发明了钢笔。上代送我的笔款是纪刘易斯·埃德森·沃特曼发明钢笔一百周年所推出的“Le Man 100”。

黑色笔身与金色的笔夹及饰环相互辉映，充满毅然之美的身影，让人忍不住叹息。不知道从什么时候开始，我便一直没有拿起这支钢笔。钢笔要经常使用，写出来的字才好看。虽然我明知这个道理，却不愿面对它，忽略它，一直把它丢在那里。

“对不起。”

我把笔捧在手心，轻轻抚摩着，向它道歉。

抚摩了一会儿，钢笔渐渐温暖起来。也许它觉得冷，于是我对它呵着热气。

希望你从长眠中醒来。我在内心祈祷着，打开了笔盖。笔尖闪着金色光芒。

怎么可能？但是，无论我再怎么仔细打量，笔尖上都找不到墨水的痕迹。我不记得自己曾清洗过，一定是上代为我洗干净的。

难道是钢笔在漫长的岁月中静静等待，等待我用全新的心情拿起它吗？

我打开墨水瓶盖，吸取蓝黑色的墨水。

遭到捆绑的话语正在寻求解放。想必是拜守景先生所赐，他对着我那些冻结的话语呵了口热气。

我写信的对象并非其他人，而是上代；我写了一封长长的信。

当我放下钢笔，全身顿时宛如潮水退潮般感到无力。我就这样把信纸留在餐桌上，像梦游者似的走向沙发。睡意立刻袭来。

睡梦中，我站在一座桥上。

阿嬷：

这辈子，我从未这样喊您，

但我偶尔会在心里这样亲切地称呼您。

每年春天，您都会带着我一边沿着段葛走向八幡宫，

一边赏樱花；

您却从不回头看我，只是专心抬头看着樱花。

那时候，您心里在想什么呢？

我总是走在您后头半步的距离，连轻碰您的手都不敢，

但是，我相信您也一样。

您写了很多信给住在意大利的静子女士，

在信中毫不掩饰地写了我的事，

那是我所不认识的您。

您无时无刻不在关心我。
原本以为，
您不会烦恼，不会受伤，也不会感到伤心……
然而事实并非如此。
当年的我太天真，太不成熟，
无法想象您在“上代”的面具下，
是一位和我一样在人生中痛苦挣扎的无助女性。
最近，我想起以前您经常做给我吃的奶油糖的味道，
就是您把炼乳连同铁罐放在火炉上做出来的奶油糖。
您还记得吗？老实说，我有很长一段时间都忘了，
不过，在一个偶然的机会中，我想起了这件事。
那天之后，奶油糖始终在我嘴里，

心情沮丧时，那甜甜的味道就会激励我。
您住院后，一直在病床上等待我的出现，
但我一直以为您不想再见到我。
您过世的时候，正好是冬季，
接到寿司子姨婆的电话后，虽然我立刻就赶到了镰仓车站，
但我突然觉得害怕，无法再向前跨出一步。
我知道，这只是借口，
只是，我无法相信这个世界已经没有您，
我不愿承认您已经死了。
如今，我为此事感到追悔莫及。
早知道，我应该亲手为您办理后事，
如果能和您见最后一面，好好向您道别，

也许就不会像现在这样，总是悬着一颗心。

对不起。

因为想告诉您这件事，所以我正在提笔写信。

镰仓即将迎来绣球花的季节，

这是我从住在隔壁的芭芭拉夫人身上学到的。

即使在夏天，芭芭拉夫人也不会把绣球花的花剪掉，

就这样一直留到冬天。

我向来觉得枯萎的绣球花看起来很寒酸，

但事实并非如此，

绣球花枯萎的姿态依然美丽清爽。

我也终于知道，

除了花以外，枝叶和根，以及被虫咬的痕迹，

所有的一切都很美丽。

因此，我相信我们之间的关系也一样，

没有任何徒然无益的时光——

我真心希望如此。

刚才，守景先生在回家的路上说，他想和我交往。

他是我笔友的爸爸，

也许我将和您一样，

选择养育一个并非自己怀胎所生的孩子。

寿福寺的庭院真美，

当我哭闹时，您曾背着我去看那庭院的风景对吧。

相隔多年，我再度想起您后背的温暖，

忍不住流下来眼泪。

谢谢。

我想把当时无法告诉您的这句话献给您。

您常说"字如其人"，

我目前只能写出这样的字，

然而这确实是我的字；

如假包换，是属于我的字。

请您在天堂和寿司子姨婆一起幸福生活。

此致

雨宫点心子　女士

又及，

我和您一样成为代笔人，

以后也将继续以代笔为生。

鸠子　敬上

上代站在我的旁边。即使没看到她的脸，我也可以凭气息知道是她。

桥上还聚集了很多我认识的人。

牵着我的手的，是QP妹妹吗？站在她旁边的，应该是守景先生。

芭芭拉夫人和寿司子姨婆也在。

男爵和胖蒂穿着相同的横条纹T恤。

站在我身后的，大概是小舞和她的家人吧？可尔必思夫人和她的孙女木偶妹妹也在。

一个我不认识，却觉得非常熟悉的女人站在不远处。是母亲吗？她一定是生下我的母亲。

那座桥就是架在附近二阶堂川上的桥，潺潺流水愉快地哼着歌。

“啊！”

有人叫了一声，指着河面。

小小的亮光穿越黑暗。

是萤火虫。没错，每年都有萤火虫在这条河边飞舞。

许多人都站在小桥上看萤火虫。

“啊！”

又有人叫了一声。

萤火虫轻飘飘、轻飘飘地随兴优雅飞舞着。

许多人静静注视着萤火虫的微光。虽然只是如此而已，却令人备感幸福。

当我醒来时，一时分不清那是梦境还是现实。

我好像曾和上代一起在桥上看过萤火虫，却又好像从未有过这种经验。但我觉得这不重要，我的内心仍然有着照亮黑夜的微光残影。

改天我也要写信给母亲。我觉得上代希望我这么做。相信应该还来得及。

窗外，天色已经微亮。

八幡宫源平池的莲花说不定快开了。

我把放在桌上、写给上代的信折好，装进信封里。

鸟儿热闹地叽叽喳喳，似乎啄着夜晚的余韵。

（敬请期待续篇）

图书在版编目（CIP）数据

山茶文具店 /（日）小川糸著；王蕴洁译 . — 长沙：湖南文艺出版社，2018.3（2023.2重印）
ISBN 978-7-5404-8533-7

Ⅰ . ①山… Ⅱ . ①小… ②王… Ⅲ . ①长篇小说—日本—现代 Ⅳ . ①I313.45

中国版本图书馆 CIP 数据核字（2018）第 019695 号

著作权合同登记号：18-2017-313

上架建议：外国文学

SHANCHA WENJUDIAN
山茶文具店

作　　者：[日] 小川糸
译　　者：王蕴洁
出 版 人：陈新文
责任编辑：薛　健　刘诗哲
监　　制：蔡明菲　邢越超
特约策划：张思北　闫　雪
特约编辑：蔡文婷
版权支持：孙宇航
营销支持：姚长杰　李　群　张锦涵
版式设计：梁秋晨
封面设计：Topic Design
出版发行：湖南文艺出版社
（长沙市雨花区东二环一段 508 号　邮编：410014）
网　　址：www.hnwy.net
印　　刷：三河市兴博印务有限公司
经　　销：新华书店
开　　本：855mm × 1180mm　1/32
字　　数：157 千字
印　　张：10
版　　次：2018 年 3 月第 1 版
印　　次：2023 年 2 月第 11 次印刷
书　　号：ISBN 978-7-5404-8533-7
定　　价：49.80 元

若有质量问题，请致电质量监督电话：010-59096394
团购电话：010-59320018